itinéraires romans

en roussillon

itinéraires roma

les travaux des mois 14

André Duprey

ns en roussillon

ZODIAQVE
MCMLXXVII

Introduction

Homme du Nord, j'étais peu gâté en art roman par mon pays d'origine. J'admirais à la cathédrale de Tournai les parties romanes de ce bel édifice. Au cours de mes passages en Bourgogne, j'avais été conquis par la beauté de Tournus et la splendeur de Vézelay. J'avais conservé un souvenir inoubliable du portail de Saint-Gilles découvert dans une randonnée cyclotouristique en Provence. Ce fut mon pays d'élection, le Roussillon, qui me fit vraiment apprécier et aimer l'art roman. Pour moi un monument a toujours été associé à un paysage qui contribue à mettre en valeur sa beauté. Si je restais assez froid devant la Maison carrée à Nîmes présentée dans le cadre et le bruit d'une ville moderne, j'étais tout disposé à m'enthousiasmer à la vue de Saint-Michel de Cuxa devant son fond de montagne ou de Saint-Martin du Canigou dans un décor sauvage de cimes rocheuses.

Le Livre *Roussillon roman* des éditions « Zodiaque » m'a aidé à comprendre cet art roman, à visiter la quasi-totalité des églises et monuments décrits ou figurant dans la carte de ce livre, tout en découvrant en même temps les paysages de mon nouveau pays.

J'ai éprouvé le désir d'aider à connaître ces richesses artistiques ou de faciliter le voyage aux touristes parfois trop pressés pour établir un itinéraire, et de leur éviter de passer sans les voir à côté de chefs-d'œuvre.

Ce guide peut être le complément du livre *Roussillon roman* déjà nommé, auquel je me réfère au cours de ces itinéraires. L'amateur trouvera dans ce livre toutes les indications techniques ou historiques que ce guide n'avait pas l'intention de donner.

J'ai laissé volontairement de côté des monuments d'importance secondaire ou en ruine, trop isolés ou situés dans des lieux d'accès difficile et non indiqués sur les cartes usuelles même récentes. Ces difficultés risqueraient de décevoir ou de décourager les visiteurs à la découverte des belles œuvres romanes.

Le guide laisse donc aux plus curieux ou aux spécialistes des possibilités de recherches qui n'auront que plus de valeur du fait de l'effort personnel de l'amateur.

Ces itinéraires permettent aux touristes de choisir et de se limiter. Après les itinéraires détaillés pour chaque région, le guide a décrit deux grands itinéraires simplifiés permettant de voir l'essentiel de ce qu'un amateur d'art roman ne peut oublier dans sa visite d'une province.

Je n'ai pas manqué d'insister sur les sites, de donner mes impressions sur les paysages. Je crois que beaucoup de touristes seront heureux d'avoir quelques suggestions et orientations. Ce côté du guide pourra peut-être décevoir certains archéologues. Que ceux-ci veuillent bien m'excuser et ne pas m'en tenir rigueur. L'itinéraire roman leur fera, je l'espère, découvrir et aimer un pays qu'ils auraient pu négliger.

☆

Les références à *Roussillon roman* sont faites par l'abréviation suivante : cf. R.r. page...

Les monuments romans font l'objet d'une cotation établie de la manière suivante en fonction de leur intérêt :

*** désignent les quelques grandes œuvres romanes susceptibles d'intéresser et d'émouvoir tout amateur.

** signalent les monuments importants par leur beauté ou leur intérêt technique et archéologique.

* indique les œuvres secondaires, simples églises romanes, tour, détail roman, etc.

A côté des œuvres romanes qui font l'objet de ce guide, il serait regrettable de passer près d'œuvres importantes d'un autre style, soit religieuses, soit profanes. Je mentionnerai sans astérisque les œuvres particulièrement susceptibles d'intéresser le touriste.

☆

Malgré toute la précision apportée à la réalisation de ce guide pour rendre les visites faciles et agréables, il est un élément imprévu qui risque parfois de décevoir.

Dans notre période de décadence morale, de nombreux vols ont été faits ces derniers temps dans les églises du Roussillon. Pour éviter de nouvelles pertes de notre patrimoine artistique, de nombreuses églises sont habituellement fermées. On ne donne pas les clés et il est impossible de les visiter, sauf à de rares occasions. Cette réserve s'applique même à des églises de localités importantes. Par contre on découvrira avec joie des églises de petits villages isolés qui sont ouvertes, parfaitement entretenues et où le culte est célébré. Tel est le cas de l'église romane de Boule d'Amont dans la sauvage vallée du Boulès.

Bon voyage, admirez les beautés si abondantes de l'art roman dans le cadre de la plaine, des vallées, des collines et des montagnes des Pyrénées orientales, dans la belle lumière du ciel bleu du Roussillon.

ANDRÉ DUPREY

Un peu de géographie est nécessaire pour présenter le Roussillon.

Deux grandes vallées tracées par deux fleuves côtiers : au Nord la vallée de la Têt, appelée le Conflent, est parcourue par la N.116 Perpignan - Mont-Louis. C'est la vallée la plus importante, avec ses vallées adjacentes.

Au Sud la vallée du Tech, moins grande, le Vallespir, est suivie par la N.115 Le Boulou-Prats de Mollo.

Au débouché de ces deux vallées et les réunissant, la plaine alluviale du Roussillon et de la Salanque, cette dernière bénéficiant des alluvions de l'Agly, rivière sortant du Fenouillèdes. Cette plaine s'étend jusqu'à la côte méditerranéenne et finit au Sud à la chaîne des Albères.

Entre Conflent et Vallespir, les collines des Aspres qui prolongent vers l'Est et la plaine le massif du Canigou.

Tout le Roussillon est très riche en art roman (cf. R.r. page 6, courte et intéressante préface présentant le pays).

A l'Ouest de Mont-Louis, le guide nous conduit dans une région dont l'altitude varie de 1200 m à 1600 m, la Cerdagne française.

Ce guide vous présente huit itinéraires avec leur indication du kilométrage et accompagnés d'un dessin de carte avec son échelle.

Les itinéraires 1 et 2 ont pour centre Perpignan et se déroulent dans la plaine du Roussillon.

L'itinéraire 3 concerne la partie Est du Conflent.

L'itinéraire 4 vous conduit dans la partie Ouest du Conflent.

Laissant provisoirement le Roussillon après le haut Conflent, l'itinéraire 5 vous fait visiter la Cerdagne.

Revenant au Sud du Roussillon, l'itinéraire 6 vous amène dans le Vallespir.

Malgré la petite étendue des Aspres, la dispersion des monuments et les nombreux détours des petites routes dans ce pays de collines obligent à faire deux itinéraires : l'itinéraire 7 pour la partie Est et l'itinéraire 8 pour la partie Ouest. Tous les monuments ne demandent pas le même temps de visite. Certaines petites églises rurales seront l'objet d'un aperçu assez rapide dans le cadre du paysage, alors que de grandes œuvres comme Serrabone ou Saint-Martin pourront à elles seules, avec la visite de leur site, donner lieu à une promenade d'une demi-journée qui permettra aux touristes désirant se détendre dans la contemplation de chefs-d'œuvre d'apprécier ces églises à leur juste valeur.

ROUSSILLON ROMAN

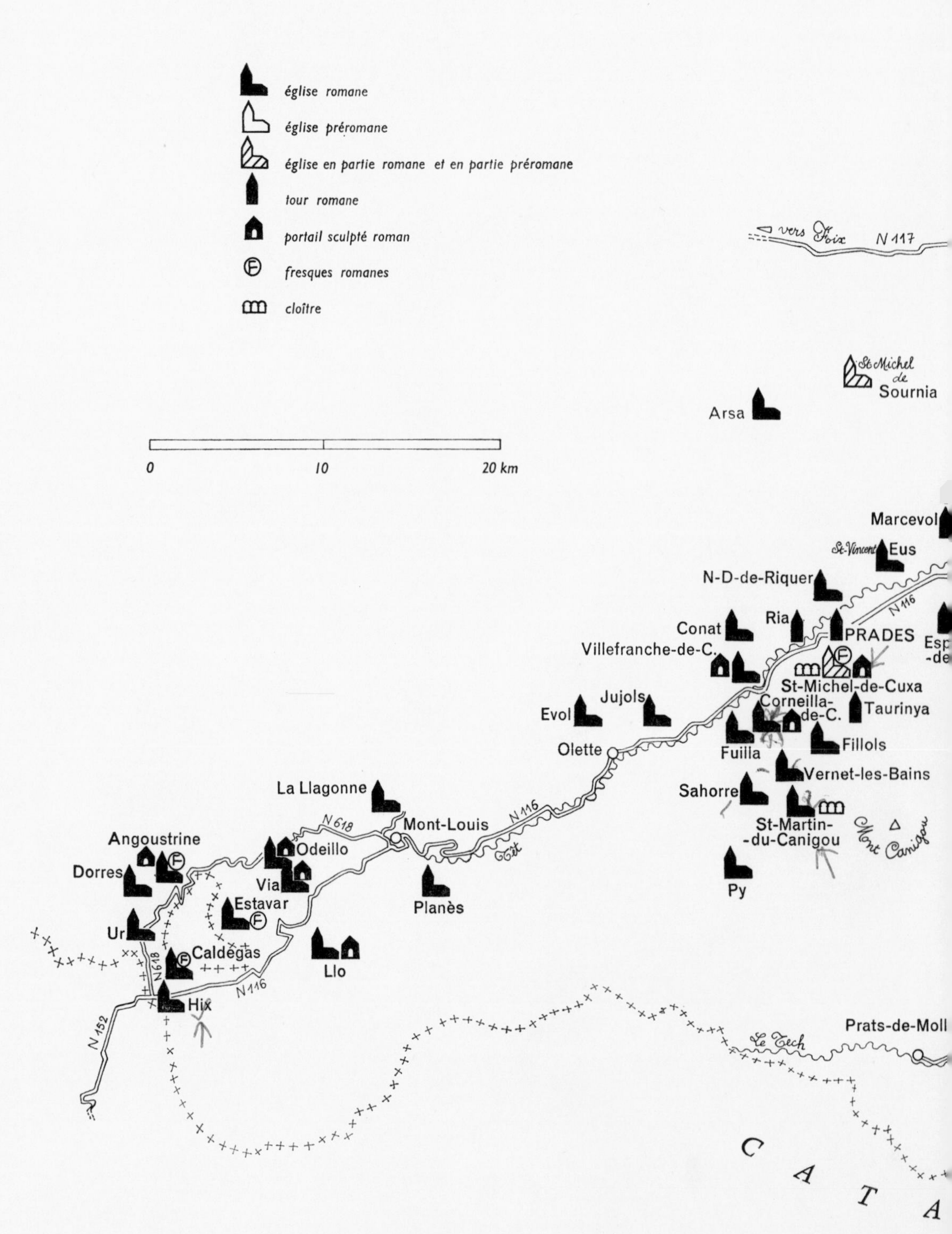

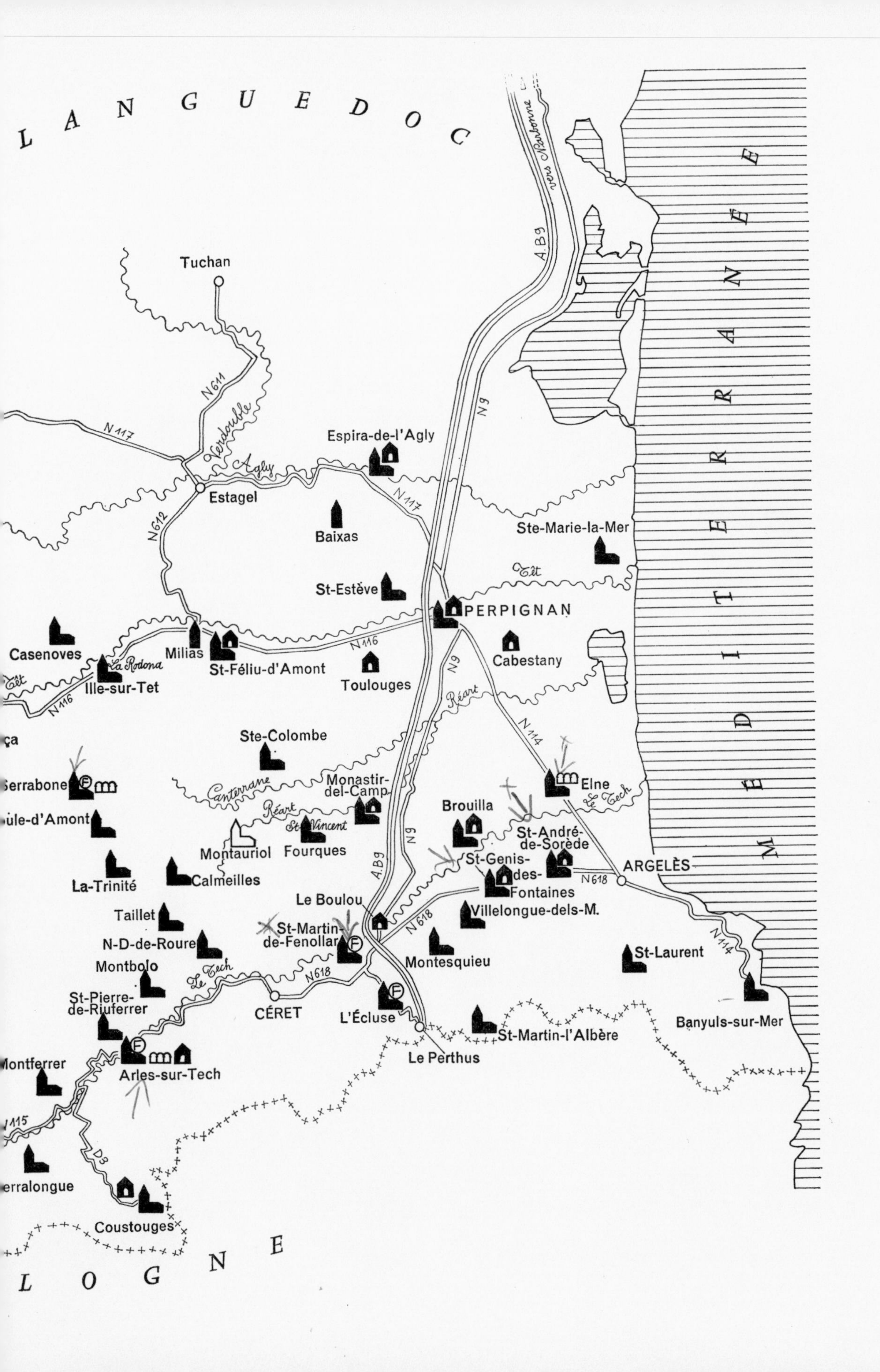

LANGUEDOC
MÉDITERRANÉE
Tuchan
N611
N117
Verdouble
Agly
Espira-de-l'Agly
Estagel
N612
Baixas
A.B9
vers Narbonne
N9
Ste-Marie-la-Mer
Têt
St-Estève
PERPIGNAN
Casenoves
Milias
St-Féliu-d'Amont
N116
Cabestany
La Rodona
Ille-sur-Tet
Toulouges
Réart
N114
Ste-Colombe
Elne
Canterrane
Monastir-del-Camp
Le Tech
Brouilla
St-André-de-Sorède
Montauriol
St-Vincent
Fourques
St-Genis-des-Fontaines
ARGELÈS
N618
La-Trinité
Calmeilles
Le Boulou
Villelongue-dels-M.
Taillet
St-Martin-de-Fenollar
N-D-de-Roure
Montesquieu
St-Laurent
Montbolo
St-Pierre-de-Riuferrer
CÉRET
L'Écluse
Banyuls-sur-Mer
St-Martin-l'Albère
Le Perthus
Arles-sur-Tech
N115
D3
Coustouges
LOGNE

INDEX DES NOMS DE LIEUX

Itinéraire nº 1
(Perpignan - Perpignan 76 km. Carte Michelin 86, plis 19, 20 et 9)

Vous pouvez commencer cet itinéraire par la visite de PERPIGNAN, centre de la plaine du Roussillon.

Le seul reste de monument roman accessible actuellement au public est la chapelle de Notre-Dame dels Correchs* (cf. R.r. page 24) extrémité orientale d'un bas-côté de la première église de Saint-Jean-le-Vieux, église paroissiale du XIe siècle. On accède à cette chapelle par un passage situé sous l'orgue du côté gauche de la cathédrale Saint-Jean. Cette cathédrale à nef unique et nombreuses chapelles latérales est un beau type de style gothique méridional des XIVe et XVe siècles. Il faut signaler à gauche, à l'entrée de la cathédrale, une cuve baptismale en beau marbre, très ancienne, unique dans le Roussillon (pl. 2).

Quant à l'ancienne église de Saint-Jean-le-Vieux, elle se trouve dans une usine et n'est pas accessible au public. Elle fait actuellement l'objet de travaux importants de restauration sous la direction très compétente du conservateur des Monuments historiques de la région, Pierre Ponsich. On peut espérer que cette entreprise permettra dans un an, sauf imprévu, de montrer aux touristes et amateurs un splendide édifice roman des XIe, XIIe et XIIIe siècles construit en beau calcaire rougeâtre. En attendant, on peut admirer un portail latéral (*) situé à gauche de la cathédrale, portail assez particulier où le Christ se trouve à la retombée de la clef entre deux arcades géminées (pl. 1). De chaque côté, des reliefs d'apôtres fort mutilés, mais de belle qualité, et quelques vestiges de pierres tombales.

A signaler, dans la ville, le Castillet, forteresse du XIVe offrant du haut de la tour une belle vue sur Perpignan; la loge de mer du XIVe également, qui fut autrefois le siège d'un consulat de la mer; statue de Maillol; le palais des rois de Majorque, très belle construction des XIIIe et XIVe siècles – le portail de la chapelle est roman (*).

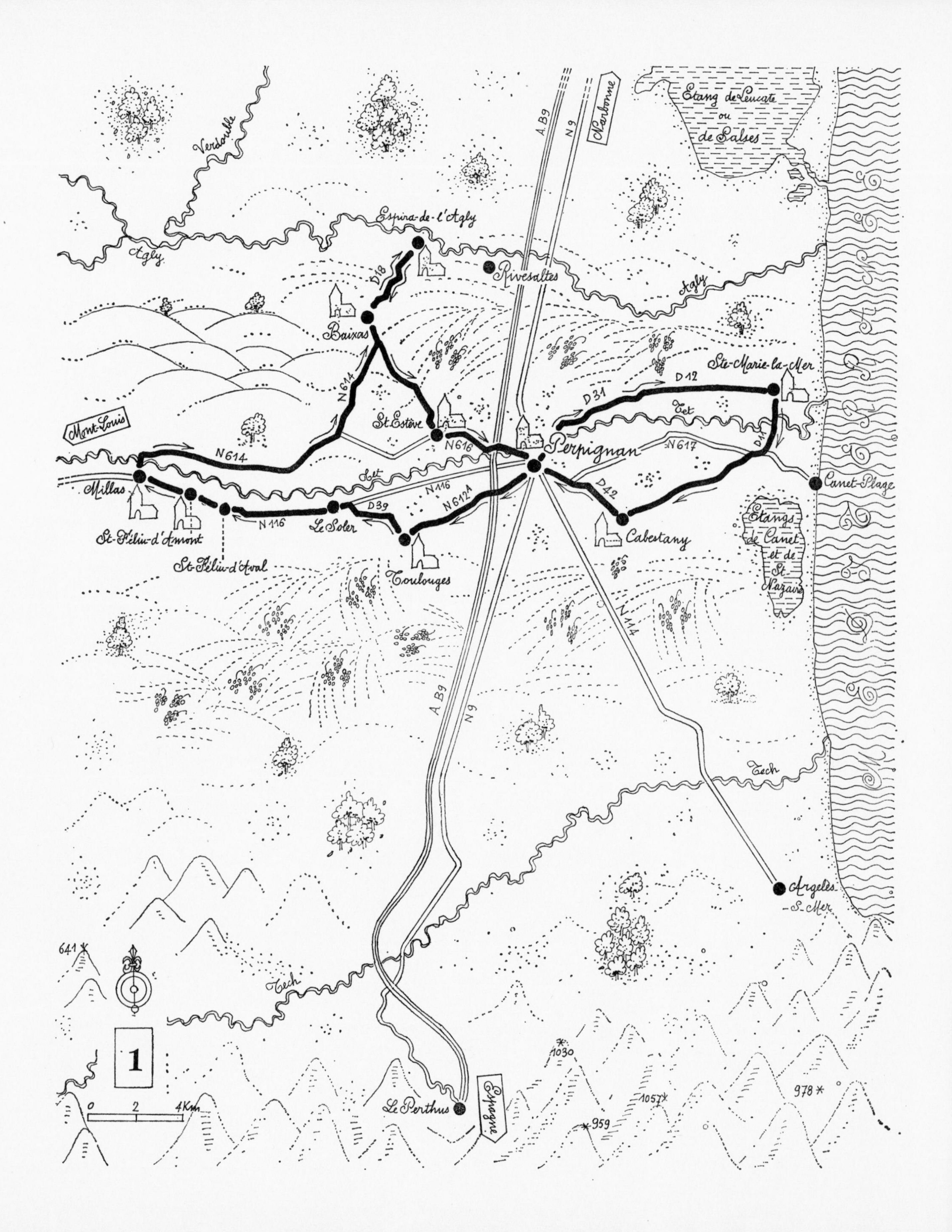

Etang de Leucate ou de Salses
Narbonne
A.B9
N9
Verdouble
Agly
Espira-de-l'Agly
D18
Rivesaltes
Baixas
N614
St-Estève
N616
Ste-Marie-la-Mer
D12
D31
Tet
Mont-Louis
Perpignan
N617
D11
Canet-Plage
Millas
N116
N612A
D39
D42
Le Soler
Toulouges
Cabestany
St-Féliu-d'Amont
St-Féliu-d'Aval
Etangs de Canet et de St Nazaire
N114
Tech
Argelès-s-Mer
641
1
0
2
4Km
Le Perthus
Espagne
1030
1057
959
978

Vous abordez l'itinéraire nº 1 en sortant de Perpignan par la N.612 A, direction de Thuir. Après 6 km qui vous feront sortir de la périphérie d'une grande ville, vous arrivez à TOULOUGES, où vous pourrez admirer un beau portail (**) qui n'appartient pas originellement à l'église du XIe, celle-ci ayant subi une destruction, mais qui provient du monastère de l'Eula et date du XIIIe siècle (pl. 3). Beaux chapiteaux et amusants reliefs sur la voussure (notamment un joueur de flûte).

C'est le premier portail que vous voyez dans votre voyage. Il convient de faire remarquer qu'on ne trouvera pas dans le Roussillon de grands portails historiés comme à Moissac ou à Ripoll. Les chapiteaux historiés et même les sujets religieux font totalement défaut dans la sculpture romane roussillonnaise. C'est ce qu'a fait remarquer Pierre Ponsich dans sa conférence sur les cloîtres romans aux journées d'études romanes de Cuxa en 1975. L'art roman en Roussillon a ses expressions propres.

Le portail et sa porte par où vous pénétrez dans un lieu saint conservent toujours un sens symbolique important dans l'art roman, d'inspiration religieuse. Le Christ n'a-t-il pas dit lui-même : « Je suis la porte des brebis » et « Je suis la porte. Qui entrera par moi sera sauvé » (Jean, ch. 10, v. 7 et 9). Dans la nef de l'église (*) on admirera la pierre des piliers provenant des carrières d'Espira.

Après l'église on prend à droite la D.39 pour le Soler et vous êtes déjà près de la Têt et de sa plaine fertile. Au Soler vous abordez la N.116, axe routier de la vallée du Conflent, vous tournez à gauche et suivez cette route jusqu'à SAINT-FELIU-D'AMONT. L'église (**) (cf. R.r. page 25) est située à une petite distance, à droite de la route nationale (on peut y accéder par la dernière rue avant le petit pont). Le beau tympan sculpté du portail est orné d'anges, et la porte, de belles pentures (pl. 4). Ces dernières n'existent qu'à partir de la première partie du XIIe siècle. Le verrou représente une des têtes de serpent les mieux stylisées de la région. On est déçu, en entrant dans l'église, par la restauration sans style de l'abside, intéressante de l'extérieur. Table d'autel carolingienne, statue polychrome du XIVe, de Notre-Dame de la Salvetat portant l'Enfant Jésus. La Vierge et l'Enfant ont tous deux un sourire délicieux. Fort belle tour qui mériterait d'être décapée et mise en valeur. Autour de l'église, petites rues très pittoresques d'ambiance catalane.

Pour éviter de revenir en arrière, on suit la N.116 jusqu'à MILLAS où l'on pourra jeter en passant un coup d'œil sur la tour romane (*) de l'église. Vous tournez à droite dans la direction de Narbonne à suivre pendant environ 1 km. On traverse pour la première fois la Têt qui n'occupe bien souvent qu'une faible partie de son lit caillouteux, très large à cet endroit. Sitôt après prendre à droite la N.614 direction Rivesaltes que nous suivons jusqu'à BAIXAS (prononcez Bachas) et son église bien refaite avec son clocher roman (*). Il est intéressant d'y entrer pour voir un très beau retable du XVIIe siècle fort bien restauré, trop bien restauré pour certains.

Depuis la traversée de la Têt, la route suit la courbe des collines qui sur la gauche séparent cette vallée de celle de l'Agly, vallée du Fenouillèdes. Vous êtes sur un plateau aux ondulations légères, de 60 à 80 m d'altitude, qui va s'abaisser doucement jusqu'à la plaine de la Salanque. Ce relief est marqué par endroits de crêtes soulignées de cyprès ou de pins parasols. Vous êtes dans le pays de la vigne, exclusivement, où le sol rappelle par sa couleur la terre de Sienne. Malgré sa monotonie, ce paysage est beau et captivant; il offre à l'automne une féerie de nuances du jaune clair au violet.

A Baixas, après l'église, vous prenez la D.18 qui vous mène en 4 km à la pointe extrême de notre itinéraire n° 1, ESPIRA-DE-L'AGLY. Son église de la fin du XIIe siècle (**) (cf. R.r. page 23) est le reste d'un ancien prieuré augustin. Son beau portail méridional s'apparente à ceux de Villefranche. On en admirera surtout les splendides chapiteaux (pl. 5 et 6). L'église a été refaite à la fin du XIIe en marbre blanc et gris provenant des carrières proches. La pierre d'Espira est utilisée dans de nombreuses constructions romanes à partir du XIIe siècle. L'appareil parfait exécuté dans cette pierre rappelle la régularité de construction d'églises italiennes. Ce prieuré s'appelait primitivement prieuré de Sainte-Marie d'Espira et il est intéressant de savoir que sur la douzaine d'abbayes romanes en Roussillon d'origine carolingienne ou du premier tiers du XIIe, sept sont dédiées à la Vierge et ont le vocable de Sainte-Marie. Le culte de la Vierge nous donnera au portail de Corneilla le tympan de la Vierge en gloire et un certain nombre de statues de Vierges datant de l'époque romane.

L'église, habituellement ouverte, fait l'objet de restaurations importantes et de dégagement à l'extérieur. Elle est très intéressante par ses deux absides jumelées, en hémicycle à l'intérieur et prises dans un massif rectangulaire à l'extérieur. On appréciera une Vierge douloureuse en bois peint et deux très belles statues en bois nature.

Vous revenez à Baixas par la route de l'aller et un kilomètre après le bourg vous prenez à gauche une route pour SAINT-ESTÈVE. C'est toujours la vigne, mais déjà vous abordez la plaine fertile de cultures maraîchères et fruitières. Les salades et les vignes poussent sous les arbres à fruits. On a une impression de fécondité intense grâce à l'irrigation déjà entreprise en des temps lointains. C'est le pays du soleil, où l'eau coule en abondance.

Après la traversée de la N.616, on trouve l'église avec une belle abside et deux absidioles (*). Dès l'entrée on est surpris de la grande simplicité de la nef centrale éclairée par des fenêtres du côté droit de la voûte. Deux collatéraux (pl. 7). Saint-Estève avait été autrefois une abbaye carolingienne.

On reprend la N.616 en direction de Perpignan, on croise l'autoroute B9, puis la N.9 et on entre dans la Salanque, où vous suivez la D.31, puis la D.12 qui, en 10 km, vous amèneront à SAINTE-MARIE-LA-MER (non pas les Saintes-Maries-de-la-mer). L'église (*) a un portail très simple dans une façade sans intérêt et est encastrée dans des habitations. Si l'on contourne l'ensemble, on est surpris de trouver une abside curieuse assez haute, de bel appareil, faite de cinq pans coupés avec fenêtres romanes. A l'intérieur cette abside de forme exceptionnelle dans le Roussillon est très belle. Elle est surmontée d'une coupole.

De Sainte-Marie vous suivez vers le Sud la D.11 ; traversez la N.617 et peu après prenez sur la droite une petite route qui en 6 km vous conduit à CABESTANY. Le trajet est agréable à travers un plateau toujours couvert de vignes. L'église de Cabestany s'impose par son tympan (***) œuvre d'un maître anonyme dénommé le « Maître de Cabestany » (cf. R.r. page 22). Son thème, résurrection, assomption et glorification de la Vierge, est aussi exceptionnel que la qualité de la sculpture en ronde bosse vigoureuse et très expressive (pl. 8 à 10). On retrouvera le style de cet artiste dans d'autres sculptures du Roussillon et dans certaines œuvres du Languedoc. L'église est malheureusement toujours fermée (le tympan se trouve à l'intérieur), sauf aux heures des offices en semaine ou les dimanches, et il est difficile d'obtenir la clé.

De Cabestany par la D.42 on revient à Perpignan.

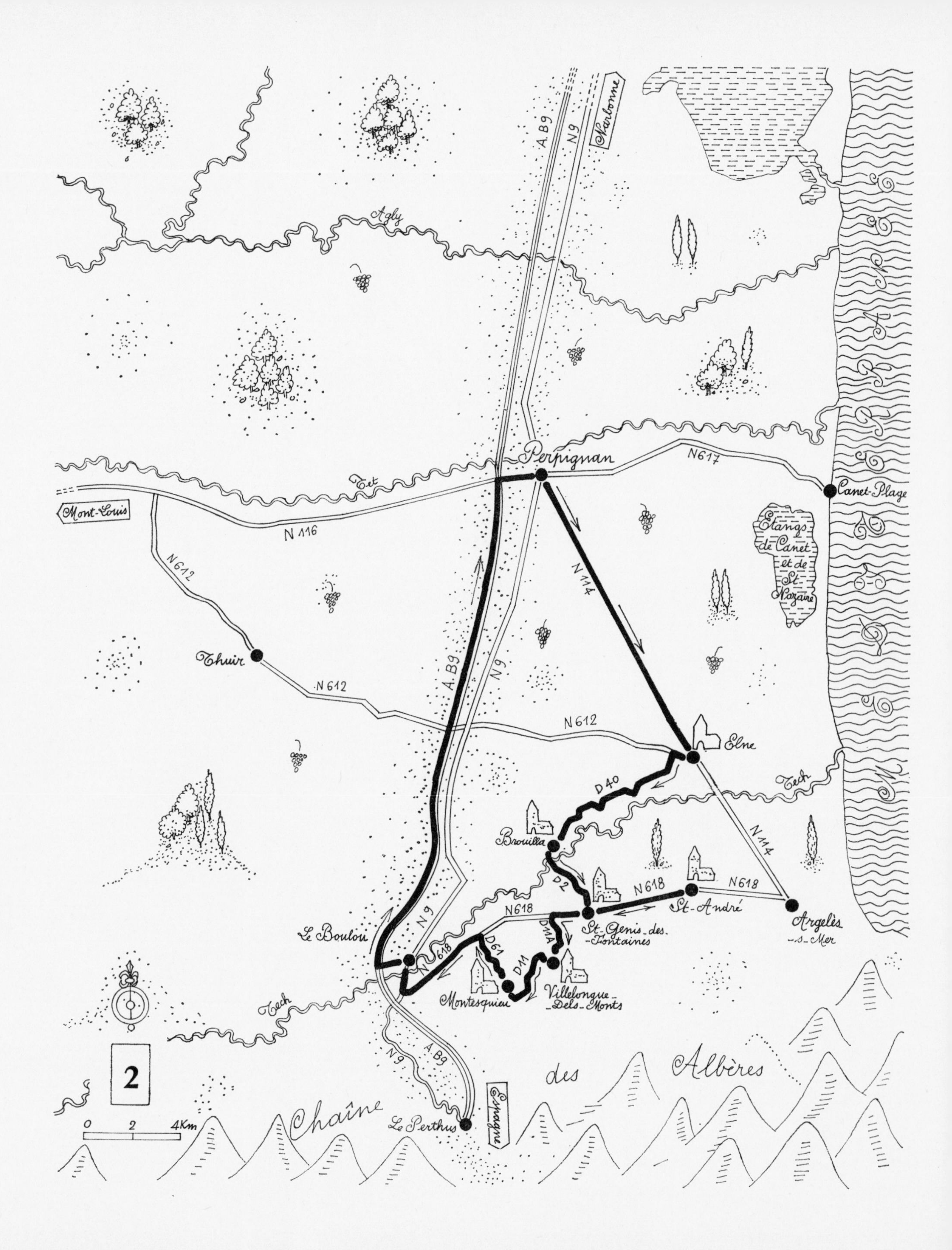

Narbonne
A.B9
N9
Agly
Perpignan
N617
Canet-Plage
Têt
Mont-Louis
N116
N612
N114
Etangs de Canet et de St-Nazaire
Thuir
N612
A.B9
N9
N612
Elne
Tech
D40
Brouilla
N114
D2
N618
N618
St-André
Argelès-s-Mer
N618
St-Genis-des-Fontaines
D11A
Le Boulou
N9
618
D61
D11
Montesquieu
Villelongue-Dels-Monts
Tech
N9
A.B9
2
Chaîne des Albères
Le Perthus
Espagne
0 2 4Km

Itinéraire nº 2

(Perpignan-Perpignan 70 km environ. Carte Michelin 86, plis 19 et 20)

Vous allez visiter la partie Sud de la plaine du Roussillon arrosée par le Tech et limitée au Sud par la chaîne des Albères. Cet itinéraire pourrait, sur la même journée, être associé au précédent par l'automobiliste qui ne trouverait pas excessif le kilométrage total des deux, soit 146 km environ. Il faut toutefois signaler que la visite d'Elne et de son cloître exige un certain temps, si on désire apprécier toute la valeur de ce chef-d'œuvre et si l'amateur photographe veut s'attarder devant les très beaux chapiteaux du cloître.

Vous quittez Perpignan par la N.114 en direction d'Argelès et des plages du Sud. Vous êtes encore dans le pays de la vigne, culture principale de toute cette plaine. Sur de légères éminences, mas ou châteaux dominent le vignoble, entourés de pins parasols ou de cyprès. Bordures de grands roseaux le long des petits canaux. En 14 km de route droite vous arrivez à Elne. Vous pouvez laisser la voiture en bas de la ville et monter à pied les vieilles rues qui conduisent à la cathédrale. Si vous préférez ne pas faire cet effort intéressant, vous pouvez sans difficulté monter en voiture à la ville haute et stationner près de la cathédrale sur une large esplanade.

ELNE : sa cathédrale du milieu du XIe siècle (**), son cloître (***), « considéré à juste titre comme l'un des plus beaux de France » (cf. R.r. pages 189 et suivantes) (pl. 12). Actuellement l'entrée de la cathédrale se fait par le cloître – visites payantes non guidées de 9 h à 12 h et de 14 h à 17 h en hiver – de 8 h à 12 h et de 14 h à 18 h en été.

L'entrée dans la cathédrale donne, en dépit de son austérité, une impression de splendeur toujours renouvelée à chaque visite (pl. 13). Le cloître est le seul grand cloître du Roussillon qui soit resté intact. La galerie méridionale contre l'église est la plus ancienne d'époque romane (pl. 11). Les autres en ont repris la plupart du temps les sujets. La beauté de ceux-ci sur les chapiteaux donne un aperçu de la sculpture romane et ne saurait manquer de provoquer l'admiration de l'amateur d'art ou du photographe. La mise en valeur des formes change en fonction des variations d'éclairage prodiguées par le soleil méditerranéen. Voilà pourquoi il faut savoir s'attarder à Elne.

Quittez ce haut lieu par la N.612 direction Thuir. Après 400 m environ et le passage de la voie ferrée, prendre à gauche la D.40 qui conduit en 7 km 5 à Brouilla. La route est proche des détours du Tech et vous fait flâner dans le paysage déjà vu avant Elne. De la petite place de l'église, très bel aperçu au Sud sur la chaîne des Albères, collines boisées dépassant par endroits les 1000 m d'altitude et qui continuent vers la côte d'Argelès et de Port-Vendres le massif du Canigou qu'un temps clair vous aura donné comme fond de décor dans ces deux itinéraires.

BROUILLA : son église (*) (cf. R.r. page 22). On reste en admiration devant le portail en marbre blanc (**) du début du XIIe, qui fait songer à la tribune de Serrabone sur laquelle s'achèveront ces itinéraires. L'église toujours ouverte est accueillante; son chevet tréflé en pierres roulées de rivière a du caractère dans son originalité (pl. 14). Sur le côté gauche, une Vierge à l'Enfant en bois polychrome du XIVe siècle.

De Brouilla, continuer la D.40 pendant 300 m et prendre à gauche la D.2. On traverse le Tech et on arrive en 3 km 5 à SAINT-GENIS-DES-FONTAINES. Traverser la N.618 pour arriver à l'église (*) qui fut celle d'une ancienne abbaye. Le linteau (**) de la porte est une pièce remarquable de la sculpture romane en Roussillon (cf. R.r. pages 76 et 77). Il a été longuement étudié par R. Oursel dans *Floraison de la sculpture romane* (t. 1, p. 92 à 110). Sans avoir la prétention d'entrer dans des détails techniques, vous pourrez comparer la mandorle (auréole entourant le Christ enseignant) du linteau de Saint-Genis à celle du linteau de Saint-André.

Vous retrouvez la N.618 et vous tournez à droite direction Argelès pour aller en 4 km 5 à SAINT-ANDRÉ-DE-SORÈDE. Ici encore l'église (**) est très intéressante. On admire d'abord le linteau du portail (**) et la fenêtre richement ornée s'ouvrant au-dessus de celui-ci (cf. R.r. pages 78, 79 et 80).

Saint-André fut autrefois une abbaye carolingienne. Vous serez impressionné par la beauté de la nef et de l'abside s'élevant sur de solides pierres de l'abbaye primitive (pl. 16). Dans le chœur se trouve la plus belle table d'autel romane du Roussillon.

On reprend la N.618 en direction de Saint-Genis et 1 km après cette localité on quitte la route nationale pour prendre à gauche la D.11 A. VILLELONGUE-DELS-MONTS : église (*) au milieu du village, serrée dans les habitations et n'offrant pas de l'extérieur un attrait particulier. Continuer la D.11 vers Montesquieu. La route attaque alors le bas de la chaîne des Albères déjà aperçue depuis Brouilla et la N.618. Ces collines boisées avec leurs petits villages accrochés sur les pentes invitent à grimper les chemins qui serpentent dans ces vallons pittoresques. Pour le moment, contentez-vous de suivre les multiples détours de la route qui va vous amener à la pointe Sud de votre itinéraire. Vous traversez MONTESQUIEU, vous redescendez vers le Nord par la D.61 pour arriver à la petite église (*) en contrebas du village. Celle-ci est délicieuse dans son cadre. Entourée de quelques cyprès avec son portail de marbre blanc, elle domine un vallonnement de vignes et par temps clair vous avez un bel aperçu de la plaine du Roussillon jusqu'à la mer (pl. 15). C'est le type de l'église qui s'inscrit admirablement dans un site; et on serait tenté dans les cotations adoptées pour les monuments romans de la signaler par deux astérisques au lieu d'un.

Reprenez la D.61 jusqu'à la N.618, où vous tournez à gauche pour rejoindre la N.9 près de Saint-Martin-de-Fenollar (pl. 33 et 34) et de l'Écluse et près du Boulou (pl. 17 à 19), qui feront tous trois l'objet d'une visite dans l'itinéraire nº 6. Vous prenez à droite la N.9 en direction de Perpignan et si vous le désirez, afin d'abréger le retour, l'autoroute B9 qui vous mènera rapidement à la ville.

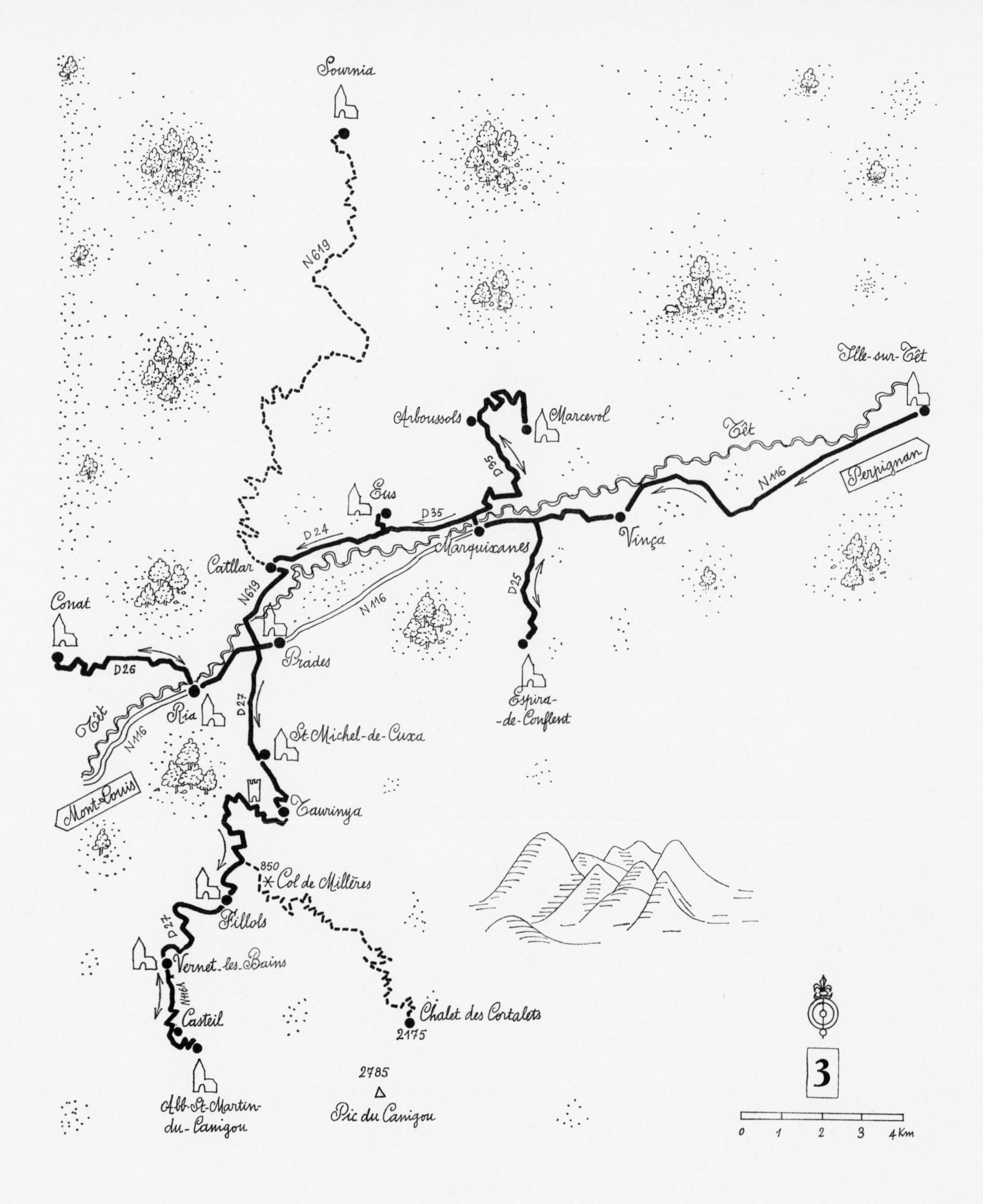
Sournia
N619
Ille-sur-Têt
Arboussols
Marcevol
Têt
D35
Perpignan
N116
Eus
D35
D24
Marquixanes
Vinça
Catllar
D25
N619
N116
Conat
Prades
D26
Espira-
-de-Conflent
Têt
Ria
D27
N116
St-Michel-de-Cuxa
Mont-Louis
Taurinya
850
Col de Millères
Fillols
D27
Vernet-les-Bains
N116A
Casteil
Chalet des Cortalets
2175
2785
Abb-St-Martin-
du-Canigou
Pic du Canigou
3
0 1 2 3 4 Km

Itinéraire n° 3
(Ille-sur-Têt - Vernet-les-Bains 66 km environ. Carte Michelin 86, plis 17 et 18)

A titre d'indication : Ille-sur-Têt par la N.116 est à 24 km de Perpignan.

Cet itinéraire d'un faible kilométrage va vous faire visiter deux des principales œuvres romanes du Roussillon, Saint-Michel-de-Cuxa et Saint-Martin-du-Canigou. Chacune de ces deux visites demande qu'on lui réserve tout le temps nécessaire; il serait très regrettable d'abréger. La montée à Saint-Martin demande trois quarts d'heure à pied pour un marcheur moyen. Le chemin est très bon, mais la pente est assez forte dans la première partie. Il ne faut qu'une petite demi-heure pour la descente. C'est une promenade très agréable.

Les personnes qui ne pourraient pas faire le trajet à pied, peuvent prendre une jeep à Vernet. Cette route en jeep conduite par un bon chauffeur spécialisé est assez impressionnante, surtout à la descente.

La visite de Saint-Martin prévue pour la fin de cet itinéraire pourra, si le touriste le désire, être remise au lendemain, quitte à simplifier l'itinéraire suivant n° 4, ce qui est très faisable. Il faut cependant signaler que l'éclairage de l'abbaye perchée sur son rocher est particulièrement beau dans le courant de l'après-midi, mise en valeur qu'appréciera le photographe.

Revenons à notre itinéraire qui nous conduit dans le Conflent, la vallée de la Têt bien irriguée et très fertile. La vigne y est moins abondante et laisse dominer la culture fruitière. Vous êtes dans le pays des pêchers. De février à mai la vallée va se couvrir de fleurs. L'or des mimosas apparaîtra dès le début de février. Suivra rapidement la floraison des abricotiers, trop souvent compromise par des gelées tardives, et ce sera vers le milieu de mars la somptueuse parure du rose tendre et rose corail des pêchers en fleurs; pour fond de décor le massif du Canigou, tout recouvert encore de neige. Vue de la route qui monte à Marcevol en s'élevant au-dessus de la vallée, toute la plaine d'Ille-sur-Têt à Prades et les vallées latérales de la rive droite seront teintées de rose. À l'exception de quelques mauvaises périodes, le soleil invitera généralement le photographe à tirer de nombreux clichés.

Le climat favorise le voyage en Roussillon à une époque où les frimas sévissent encore ailleurs.

ILLE-SUR-TÊT – gros bourg, marché maraîcher et fruitier du Conflent. Le vieil Ille en contrebas, proche de la Têt, a encore des restes de remparts. C'est près de ceux-ci que se trouve, serrée dans les habitations et peu visible, l'ancienne église romane de la Rodona (*) (cf. R.r. page 24). Le guide ne l'aurait pas signalée sans cette référence. L'abside n'est visible que de loin et le portail sans intérêt se trouve au bout d'une impasse. L'église est fermée et l'intérieur en ruine. Plus attrayant est l'aspect des vieilles rues de ce quartier, des constructions de pierre « en épis » ou « arêtes de poisson », des porches anciens évocateurs d'un passé révolu. L'église Saint-Étienne, très particulière, encastrée dans l'enceinte, est intéressante. Elle a une tour lombarde bien restaurée.

Continuez la N.116 en direction de Prades. Bien que Vinça n'ait pas d'église romane, il serait regrettable en passant de ne pas voir, si l'église est ouverte, deux très beaux retables. Celui du côté droit du transept est considéré comme le plus somptueux du Roussillon, entièrement recouvert de feuilles d'or. La porte de l'église offre encore des pentures romanes très riches. A Vinça comme dans beaucoup d'autres villages il est agréable de parcourir à pied les vieilles rues entourant l'église.

2 km après Vinça prendre à gauche la D.25 qui en moins de 4 km dans une charmante vallée couverte de vignes et d'arbres fruitiers vous conduit à ESPIRA-DE-CONFLENT, église à nef voûtée en berceau brisé (*) (cf. R.r. page 23), reste de l'ancien prieuré Sainte-Marie d'Espira. La clé de l'église est confiée à la deuxième habitation à droite après le brusque virage à l'entrée du village. Laisser la voiture sur une grande place à l'entrée de celui-ci et continuer à pied. L'église bien restaurée est fort attrayante avec sa belle pierre, son double portail et son clocher déjà aperçu de la vallée. Ne pas manquer de voir à l'extérieur la belle fenêtre de l'abside et ses chapiteaux. Revenir à la N.116 par la même route. Vous prenez cette route à gauche et vous arrivez à Marquixanes (prononcez Marquichanes). On part de cette localité pour aller à Marcevol. Dans le village prendre à droite la D.35 qui traverse la Têt et suivre après un autre virage à droite la route étroite et sinueuse (croisements parfois difficiles) qui va grimper sur la bordure des collines sauvages de la rive gauche de la Têt. C'est du balcon de cette route qu'on a une large vue sur la plaine, ses cultures et ses fleurs au printemps. A Arboussols, petit village vinicole entouré de tous côtés par la vigne

cultivée sur les moindres parcelles de terre, le vignoble est de qualité et son produit ira s'allier à celui des Corbières. On domine des petits vallons encaissés entre des murailles de granit. De leurs taillis jaillissent au mois de mai les chants des rossignols. Après Arboussols la route est moins bonne et par places réduite à un bon chemin de terre. On arrive à MARCEVOL, ancien prieuré du XIIe fondé par les chanoines du Saint-Sépulcre (**) (cf. R.r. page 24). Dans la façade de calcaire jaune, le portail et la fenêtre axiale en marbre rose et blanc, quoique excessivement sobres, sont d'une superbe qualité (pl. couleurs de la couverture). La porte présente encore quelques pentures d'origine. Le site et les aperçus sur le pays environnant plairont aux amateurs de larges horizons. Un peu plus haut que le prieuré, qui fait l'objet d'une lente restauration, on peut voir un modeste village en ruine dont l'église romane (*) et ses restes de défense sont antérieurs au prieuré.

On revient vers Marquixanes par la route de l'aller, mais au lieu de tourner à gauche avant la Têt pour arriver au village, on continue la D.35 vers EUS. La route donne un aperçu sur de riches vergers et permet mieux que la N.116 d'avoir une idée du cœur du pays et de sa vie rurale. L'église Saint-Vincent (*) (cf. R.r. page 23) est à gauche de la D.35, en bas du village étagé sur la colline qui domine la vallée. On aperçoit de loin l'église supérieure imposante à l'aspect d'une forteresse. C'est le village le plus ensoleillé de la vallée mais où sévit trop souvent la tramontane. Après l'église Saint-Vincent, prendre à droite la D.24 qui à Catllar rejoindra la N.619 où vous tournerez à gauche pour arriver à Prades. Dans le virage, après Catllar, restes de la façade de NOTRE-DAME DE RIQUER (*) (cf. R.r. page 24).

PRADES – L'église Saint-Pierre a une belle tour romane du XIIe dont on admirera les tons chauds de la pierre. Dans l'église reconstruite au XVIIe siècle, très beau retable central en bois sculpté de cette époque.

De Prades, si on n'a pas peur de faire un détour complémentaire de 14 km aller et retour, on continuera la N.116 jusqu'à RIA : tour romane (*). Prendre à droite dans le village la D.26 qui remonte la vallée de Nohèdes et vous conduit en 5 km à CONAT, où dans le virage à l'entrée du village se trouve l'église (*) qui présente « l'un des plus beaux appareils d'église dans les Pyrénées-Orientales » (cf. R.r. page 22), sans oublier cependant celui déjà signalé à Espira-de-l'Agly. Retour à Prades par la même route.

Vous allez maintenant vous diriger vers Saint-Michel-de-Cuxa en sortant de Prades en direction de Mont-Louis. Vous quittez de suite la N.116 pour prendre à gauche la D.27. Devant vous le Canigou dresse son sommet qui paraît très abrupt vu de ce côté. La tour de Saint-Michel vous apparaîtra à un prochain virage (pl. 20). Les visites de l'abbaye sont payantes et guidées par un moine de la petite communauté bénédictine venue de Montserrat en Espagne. Les visites ont lieu de 9 h 30 à 11 h 30 et de 14 h 30 à 17 h (18 h en été).

SAINT-MICHEL-DE-CUXA est l'une des premières grandes œuvres du Roussillon (***) par sa splendeur et par son rôle dans l'histoire de l'art roussillonnais. Son église préromane et romane (son histoire commence au IXe siècle) se distingue par ses énormes arcs outrepassés (pl. 21). Dès l'entrée de l'église, on est saisi par la simple beauté de sa nef, « vaste espace infiniment pauvre, mais riche aussi de son immensité, de sa puissance ». Cuxa permet de « se sentir petit devant Dieu, c'est-à-dire de se sentir à sa juste place » (cf. R.r. pages 32 et suivantes). Le cloître et ses chapiteaux en marbre rose dont la moitié environ a pu être remis à sa place primitive est l'un des monuments essentiels de la sculpture romane roussillonnaise (cf. pl. 22).

Le style du « Maître de Cuxa » se retrouve dans d'autres œuvres romanes régionales. C'est à Cuxa que fut construit le premier cloître sculpté des pays catalans, dans le premier tiers du XIIe, sous la direction de son abbé Grégoire. C'est à Cuxa qu'on utilise pour la première fois le marbre rose de Villefranche. Dans la crypte (*) on admirera l'extraordinaire pilier central.

L'amateur qui s'intéresserait davantage à l'art préroman de Cuxa pourrait aller visiter les ruines de Saint-Michel de Sournia qui dépendait autrefois de Cuxa et dont la construction s'apparente à celle de la grande abbaye du Conflent. Il y retrouvera les arcs outrepassés. Pour y aller, il faut prendre à Prades la N.619, en partie route assez mauvaise, qui vous fera faire une très belle excursion dans les collines au Nord de la Têt et vous amènera en 24 km à SOURNIA. Les ruines de Saint-Michel (*) se trouvent à 1 km environ en amont de ce bourg. Le présent guide n'a pas voulu englober dans cet itinéraire ces vestiges qui doivent être restaurés, ceux-ci étant trop éloignés de l'axe suivi.

De Cuxa l'itinéraire ne vous fait pas revenir à Prades, mais vous invite à continuer la D.27, qui vous permettra de voir deux autres souvenirs romans et d'avoir en même temps un très bel aperçu des premiers contreforts du massif du Canigou. TAURINYA, tour romane (*), col de Millères (850 m). C'est de ce col que part la route fort étroite, sinueuse et très mauvaise qui grimpe en 16 km au refuge des Cortalets (2175 m) point de départ de l'ascension du pic du Canigou. Simple indication touristique en marge de notre itinéraire. FILLOLS : église (*), puis après un petit col descente sur Vernet-les-Bains. La route suivie vous amène près de son château attenant à l'église romane SAINT-SATURNIN (*). Laissez la voiture sur la place avant la grille du château et montez à pied la rue étroite (200 m) qui conduit à l'église. De là, beau panorama sur la vallée du Cady, rivière qui descend du massif du Canigou pour aller se jeter dans la Têt à Villefranche. Les plans des collines des deux rives font un harmonieux décor dans le contre-jour de la matinée. On aperçoit dans la montagne la tour de l'abbaye de Saint-Martin-du-Canigou.

L'initiative récente d'un curé de VERNET, poursuivie par un maire et un conseil municipal entreprenants, a permis de réaliser une belle restauration qui a mis en valeur à l'intérieur tout l'appareil roman (pl. 23). On peut voir dans le haut de l'abside quelques traces de fresques. Du côté gauche il faut signaler une petite colonne préromane surmontée d'une croix en fer forgé et d'autres intéressants objets mobiliers d'époques diverses. A l'extérieur une plaque gravée sur le mur de l'église donne les dates principales de l'histoire de l'édifice et de Vernet, du IXe au XIIIe siècle. La façade est malheureusement défigurée par l'addition d'un petit clocher. L'église est très souvent fermée, il faut en demander la clé. En saison elle est ouverte le lundi, mercredi et vendredi de 15 h à 18 h.

Cet itinéraire se termine par la visite de l'abbaye de Saint-Martin-du Canigou (revoir à ce sujet la remarque faite au début de cet itinéraire). Pour ceux qui le peuvent on recommande vivement de monter à pied. On atteint ainsi le monastère en s'élevant lentement dans un admirable paysage de montagne et en jouissant d'aperçus très beaux, rochers sauvages d'abord, fraîcheur des bois ensuite. C'est ainsi que « l'on mesure la situation de l'édifice, sa signification, sa valeur » (cf. R.r. pages 117 et suivantes).

Le visiteur prendra à Vernet la N.116 A et en 3 km arrivera à Casteil, dernier village de la vallée, où il laissera sa voiture pour commencer la montée. Il est recommandé aux touristes de prendre le temps de s'élever encore pendant sept à huit minutes au-dessus de l'abbaye avant de commencer la visite. Ils pourront dominer l'édifice et se faire une idée de sa situation. SAINT-MARTIN-DU-CANIGOU (***) est en effet exceptionnellement beau non seulement du fait de la valeur du monument mais aussi pour sa place dans un site admirable : « Spectacle unique au monde sans doute que cette maison de Dieu inscrite au cœur d'un aussi merveilleux paysage ».

L'histoire de l'abbaye commence aux premières années du XIe siècle sous l'impulsion du grand abbé Oliba également fondateur de Cuxa et de Ripoll en Catalogne. Le cloître du XIIe, dominant un profond ravin, est très impressionnant, même si les sculptures ne sont pas d'une aussi belle facture que celles de Cuxa et de Serrabone (pl. 24). La crypte ou église inférieure, préromane, constitue la partie la plus originale et la plus authentique du monastère. C'est elle, peut-être, qui intéressera davantage l'archéologue heureux de retrouver la pureté d'une construction primitive. On peut avoir une autre préférence et penser que l'église supérieure émeut davantage encore par la beauté de sa nef primitive du XIe siècle et ses trois absides (pl. 25), par la grande simplicité des colonnes et des chapiteaux.

4
0
2
4 Km
Perpignan
N 116
Prades
Têt
Villefranche-de-C.
N 116
N116A
Jujols
D57
Evol
D4
D6
Fuilla
Corneilla
Olette
D27
Vernet
La Llagonne
Sahorre
N 116
N118
Mont-Louis
(1600)
Pic
du
Canigou
2785
D6
N116
Planès
D32
Py (1024)
Espagne

La restauration de l'abbaye fut entreprise en 1902 par Mgr de Carsalade, évêque de Perpignan, qui acheva l'essentiel. Après 1952, le père de Chabannes, continuant la tradition bénédictine et séculaire de l'abbaye, compléta la restauration et construisit une hôtellerie pour accueillir dans des sessions régulières les personnes désireuses de calme, de silence et de recueillement.

Les visites de l'abbaye ont lieu tous les jours et sont accompagnées et guidées. Un droit d'entrée est demandé. La messe est célébrée tous les dimanches à 11 h dans l'église supérieure. Redescendre à Casteil par le chemin de montée et regagner Vernet par la route de l'aller.

Itinéraire nº 4
(Vernet - Mont-Louis, 95 km environ. Carte Michelin 86, plis 17 et 16)

Le kilométrage peut sembler assez long. La visite des œuvres romanes du moyen Conflent se termine après 56 km à la descente d'Evol et retour à Olette. Le voyage aux deux dernières églises du haut Conflent, la Llagonne et Planès, représente 40 km de remontée d'une haute vallée sur une grande route très sinueuse et ensuite un trajet sur une route secondaire étroite pour Planès. Le touriste pourra soit abréger en supprimant des détours tels que Sahorre et Py ou Evol, d'intérêt relativement secondaire au point de vue de l'art roman, mais d'un parcours intéressant, soit en groupant la visite de la Llagonne et de Planès avec la visite de la Cerdagne décrite dans l'itinéraire nº 5.

De Vernet continuer la D.27 suivie depuis Prades. En abordant le village de SAHORRE vous apercevez sur la colline opposée l'ancienne église Saint-Étienne (*) et son abside (cf. R.r. page 25). L'église est fermée et son état de délabrement intérieur ne permet plus d'obtenir la clé. Seule la visite extérieure est possible. Vous revenez au centre du village et prenez la D.6 qui remonte la vallée de la Rotja encaissée entre deux hautes falaises. C'est une belle promenade qui en 6 km vous conduira au petit village de PY, village spécialisé dans les fruits et l'élevage de moutons. Des nombreuses bergeries vous parviendra le bêlement des agneaux. Par des ruelles où les moutons ont laissé leurs traces, vous arriverez à l'église (*) généralement fermée. La tête du verrou de la porte représente une tête de serpent particulièrement belle.

Revenir à Vernet par la route de l'aller; après avoir passé le grand pont sur le Cady, vous prenez de suite à gauche la N.116 A pour CORNEILLA-DE-CONFLENT. Au milieu de ce village prendre à droite la route qui conduit rapidement à la place de l'église (**) (cf. R.r. pages 233 et suivantes). Asseyez-vous à l'ombre du grand arbre sur le rebord du muret du parvis et contemplez à loisir le portail et la tour. Le portail du XIIe très décoré – l'artiste s'y est permis certaines fantaisies – est d'une facture similaire à celle des portails de Villefranche. Le tympan exceptionnel représente une Vierge en majesté entourée de deux anges. Corneilla fut autrefois un prieuré augustin sous le vocable de Sainte-Marie. Les restes du cloître sont visibles à l'extérieur de l'église du côté gauche. Le clocher fort bien restauré date de la première construction du XIe siècle. A l'intérieur de l'église, parmi un riche mobilier, sur le mur gauche, se trouve un très beau retable en marbre sculpté du XIVe où l'on appréciera la grande finesse des expressions des personnages. L'église renferme trois statues de la Vierge dont une des plus belles du Roussillon datant de l'époque romane (pl. 26). Dans la sacristie une ancienne armoire hispano-mauresque très curieuse et unique dans le Roussillon. Pour visiter l'église qui reste souvent fermée, il faut s'adresser au gardien habitant une maison proche. Il vous fera visiter aimablement son église s'il est disponible.

Ne pas manquer de voir à l'extérieur les très belles fenêtres de l'abside au riche décor. Des éléments du château et une tour du comte Guifred (XIe siècle) ont été refaits et sont visibles à droite de l'église, attenant à de nouvelles habitations construites sur les ruines.

Vous reprenez la N.116 A en direction de Villefranche, mais vous vous arrêtez près du pont en contrebas pour admirer derrière vous Corneilla et sa tour romane dominés par la masse du Canigou : c'est une vue inoubliable.

VILLEFRANCHE-DE-CONFLENT, petite ville fortifiée, a toujours eu un rôle important par sa position géographique dans une région frontière. Les remparts ont été construits du XIIIe au XIVe siècle. Refaits et modifiés par Vauban, ils entourent encore complètement la petite ville aux deux rues parallèles. L'église (**) avec ses deux portails sculptés représente une des très belles œuvres romanes de la région (cf. R.r. page 25). Le curé qui réside sur place est un des meilleurs connaisseurs de l'art roman du pays. Son église est généralement ouverte pendant la saison d'été, sinon on peut s'adresser au presbytère tout proche. Les portails de l'église s'apparentent au portail de Corneilla signalé ci-dessus et illustrent bien la sculpture romane de la fin du XIIe siècle : chapiteaux de marbre, décor de lions prêts à dévorer des têtes humaines au départ des voussures (pl. 27). En bas de la nef principale et à l'intérieur, un Christ gisant, du XIVe en bois sculpté, est une pièce exceptionnelle. C'est le plus beau gisant du Roussillon. On peut également signaler les fonts baptismaux datant de l'époque romane. Il ne faudrait pas quitter Villefranche sans faire à pied le tour des deux rues parallèles. Vous serez plongés dans l'atmosphère d'une ville ancienne avec ses maisons aux beaux porches de pierre des XIIIe et XIVe siècles.

On quitte Villefranche par la N.116 direction Mont-Louis et après la sortie de la ville on prend à gauche la D.6 qui remonte la fin de la vallée de la Rotja, déjà suivie de Sahorre à Py, pour gagner FUILLA et son église (*) (cf. R.r. page 23). On revient par la même route à la N.116 pour continuer en direction de Mont-Louis et visiter les deux dernières églises situées dans un très beau site du moyen Conflent. Si vous désirez faire un choix, vous donnerez la préférence à Jujols qui ne vous décevra pas. Avant d'arriver à Olette vous prenez à droite dans un virage en épingle la D.57, étroite et très bonne, qui en 5 km de lacets vous mène à JUJOLS, petit village de montagne quasi abandonné, sauf par un éleveur de moutons et quelques estivants. A l'entrée du village, un brusque virage à gauche vous permet d'aller jusqu'à l'église (*) située à 200 m des maisons. Elle est fermée, ce qui n'a guère d'importance, tout l'intérêt étant à l'extérieur. Ce témoin roman s'inscrit admirablement dans un splendide horizon de montagnes ayant pour fond le Canigou, panorama qui ne manquera pas de tenter le photographe, que le temps soit très clair ou légèrement brumeux (pl. 28). Le paysage doit être vu de préférence l'après-midi. Autre renseignement touristique en marge de l'itinéraire roman : de Jujols, par un chemin de terre praticable en voiture, on peut faire en haute forêt une belle excursion, qui sera encore plus attrayante si l'on sait abandonner la voiture et continuer à pied.

Vous redescendez sur la N.116 par la route de l'aller, vous traversez Olette (le curé a la clé de l'église d'Evol) et prenez à droite la D.4 qui en 3 km de montée en vallée boisée vous mène à EVOL, où vous trouverez une église (*) rurale dans un beau site. L'église est toujours fermée, mais possède un remarquable retable. Retour à Olette où la N.116 va vous faire remonter la haute vallée de la Têt jusqu'à Mont-Louis. Après Olette la vallée se resserre et passe entre des falaises abruptes. A Fontpedrouse on attaque les derniers 10 km de route en lacets qui vont mener jusqu'à 1600 m, altitude de Mont-Louis. Très belles perspectives sur les fonds de la vallée et les montagnes. Déjà vous abordez des zones moins boisées où commence l'alpage d'altitude, qui dominera en haute Cerdagne. En arrivant à l'entrée de Mont-Louis, évitez la ville et prenez la N.618, direction Font-Romeu, et prenez ensuite à droite la N.118 pour arriver après 3 km à LA LLAGONNE et son église en partie romane (*) (cf. R.r. page 24). Elle domine le village sur un bloc de rocher près d'une vieille tour. De ce promontoire, superbe panorama circulaire sur les pâturages et les forêts du Capcir, haute vallée de l'Aude, paysage assez semblable à la haute Cerdagne voisine. Près du portail très simple de l'église, se trouve le presbytère où l'on se procure les clés. La nef ainsi que la voûte en berceau brisé ont été bien restaurées. Très intéressants objets mobiliers : restes d'un baldaquin et devant d'autel du XIIIe siècle et surtout Christ vêtu romano-byzantin du Xe siècle.

Revenir par la même route à l'entrée de Mont-Louis et prendre à droite la D.10 puis la D.32 qui en 7 km vous conduit à PLANÈS et à sa curieuse église (*) (cf. R.r. page 24). Elle aussi, située au-dessus du village, est assez dégagée pour permettre d'apprécier son plan exceptionnel (pl. 29). Quatre très belles pentures jouent, fait très rare, leur rôle de soutien de la porte. De là on jouit d'une vue superbe sur la haute Cerdagne et les montagnes. Le voyage à La Llagonne et à Planès ne décevra pas le touriste.

2 *PERPIGNAN*

TOULOUGES ►

ESPIRA DE L'AGLY 5

◂ *SAN FELIU D'AMONT*

SAINT-ESTÈVE ►

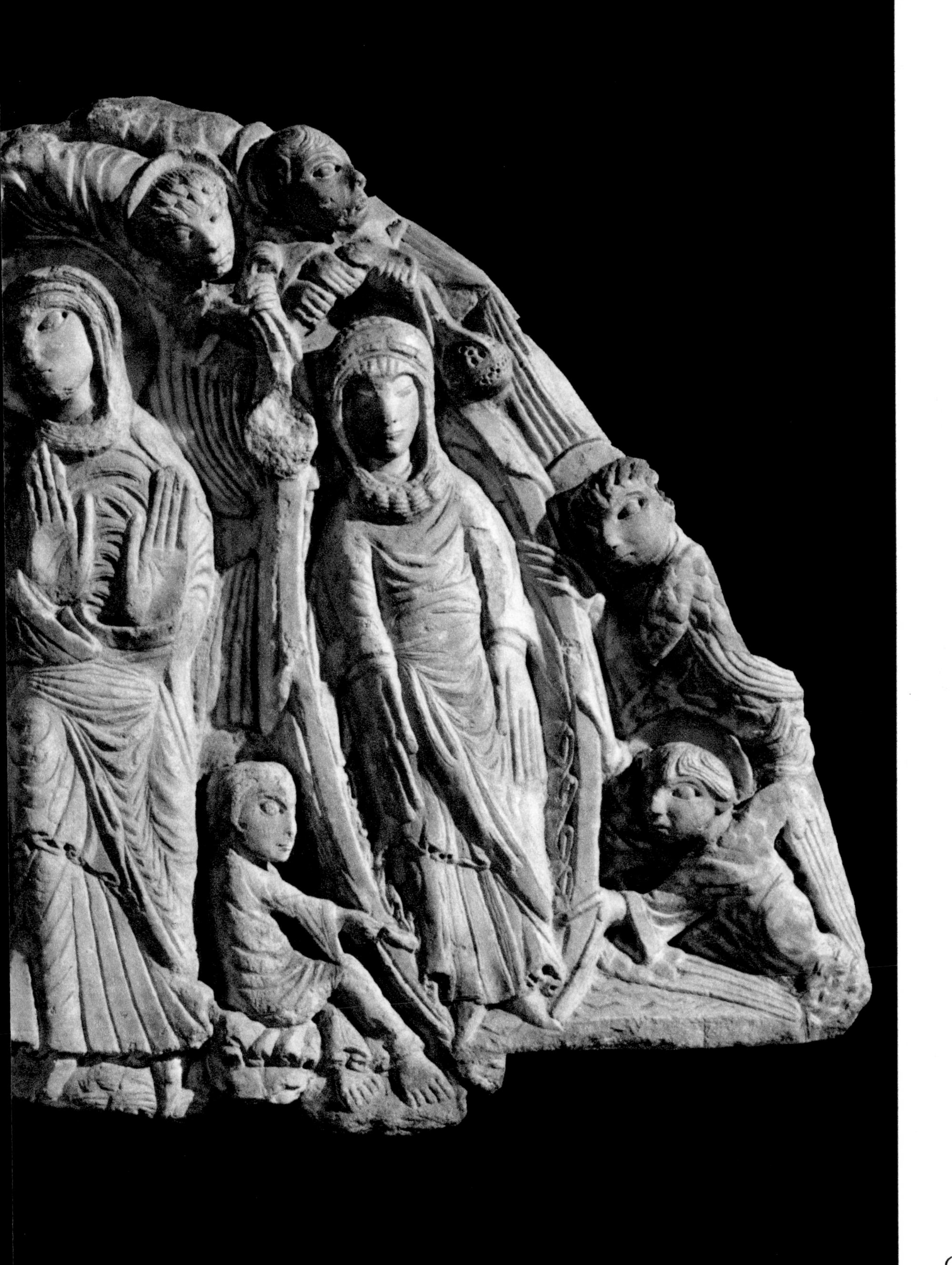

CABESTANY

9

10

11 *ELNE*

12

13

BROUILLA

15 *MONTESQUIEU*

SAINT-ANDRÉ-DE-SORÈDE 16

LE BOULOU

17

VERNET-LES-BAINS ►

26 *CORNEILLA-DE-CONFLENT*

VILLEFRANCHE-DE-CONFLENT ►

28 *JUJOLS*

PLANÈS ►

FENOLLAR

◄ *LLO*

ARLES-SUR-TECH ►

 RIUFERRER

COUSTOUGES ▸

 CALMEILLES

LA TRINITÉ ►

SERRABONE

PLANCHES

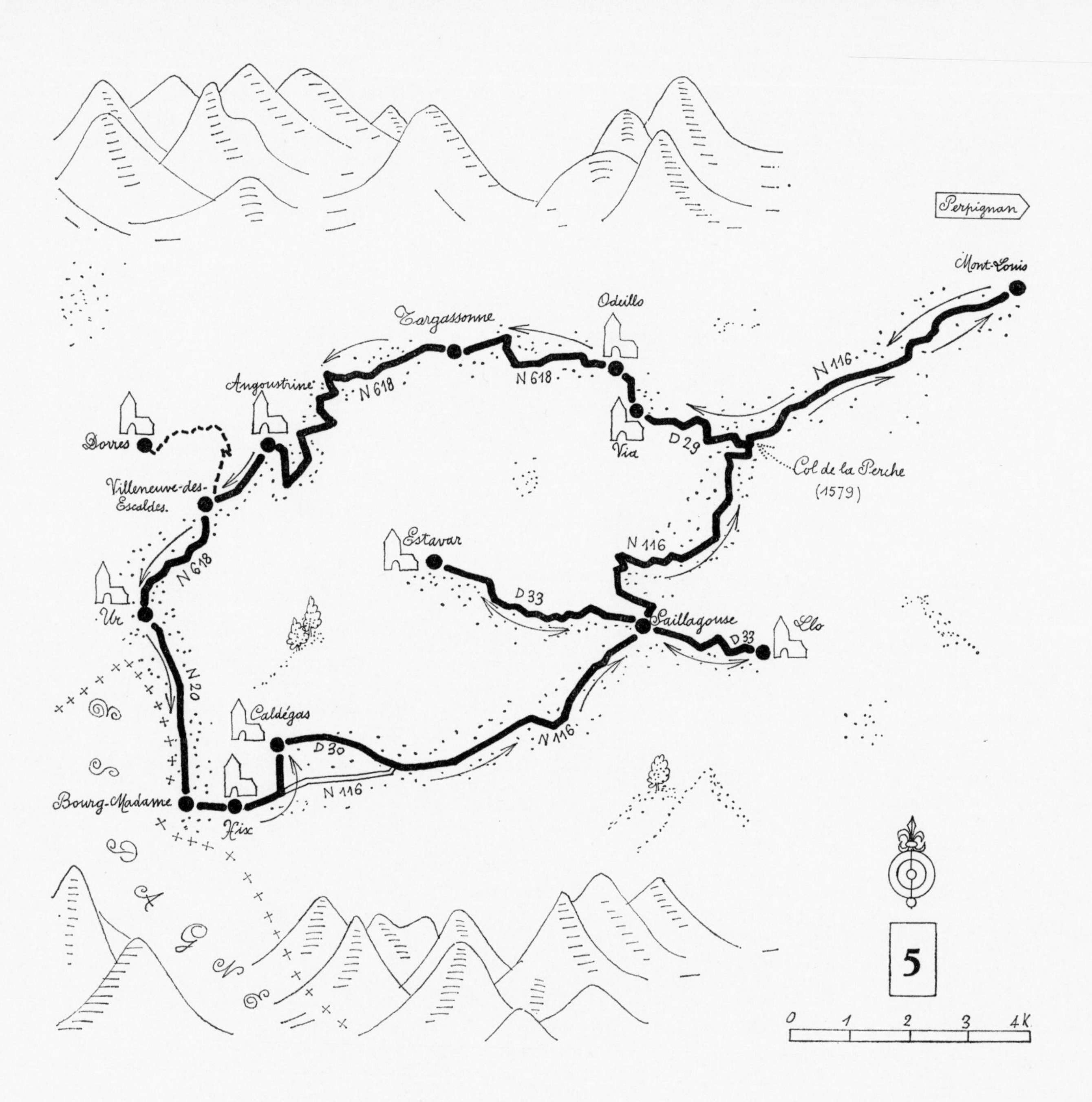
Perpignan
Mont-Louis
N 116
Odeillo
Targassonne
N 618
N 618
Angoustrine
Dorres
Via
D 29
Col de la Perche
(1579)
Villeneuve-des-Escaldes.
N 618
Estavar
N 116
D 33
Saillagouse
D 33
Llo
Ur
N 20
Caldégas
D 30
N 116
N 116
Bourg-Madame
Hix
5
0
1
2
3
4K

Itinéraire n° 5
(Mont-Louis - Mont-Louis. Circuit de Cerdagne. 60 km environ. Carte Michelin 86, pli 16)

A Mont-Louis on entre en Cerdagne. On n'y trouvera pas d'aussi grandes œuvres romanes, mais chacune des huit églises que vous allez voir est intéressante; trois d'entre elles vous montreront des restes de fresques assez rares et à ce titre précieuses. Le voyage se fait dans un pays très différent de celui que vous venez de quitter et se passe en altitude dans la région la plus ensoleillée de France. Vous reprenez à Mont-Louis la N.116 en direction de Bourg-Madame. De suite c'est un contraste complet de paysage avec celui du Conflent. Vous êtes en haute Cerdagne sur un plateau mollement ondulé à 1500 m d'altitude en moyenne. La forêt et les bois ont disparu, c'est le vaste alpage marqué par places de blocs de rochers, riche pâturage propice à l'élevage. Vous entendrez le chant de l'alouette, qui était absente des vallées du Conflent. Vers le Sud-Est, aperçu sur la chaîne de montagnes. 3 km 5 après le col de la Perche (1579 m), vous prenez à droite la D.29 vers Odeillo. A Via, un peu au-dessus du village, église à portail intéressant (*). A ODEILLO (1596 m) église avec beau portail du XIe siècle (*). Vierge romane du XIIe. On prendra à gauche la N.618 en direction de Bourg-Madame. Les blocs de granit que nous avions vus éparpillés dans les hauts alpages vont s'amonceler, parfois énormes, pour former un paysage chaotique qui ferait penser à la Bretagne; cet ensemble très curieux est le chaos de Targassonne. Le granit est très utilisé dans la construction des églises de la Cerdagne, où les tailleurs de pierre avaient une solide réputation. Vous arrivez à ANGOUSTRINE. Son église romane (**), très bien restaurée, occupe une position magnifique au-dessus du village et au centre du cimetière. De là on aperçoit toute la plaine de la basse Cerdagne et les montagnes qui ceinturent le pays. L'église, toujours fermée (cf. R.r. page 22) mérite d'être visitée. On peut en obtenir la clé au village après avoir montré « patte blanche » et laissé en garantie sa carte d'identité. Les plus beaux objets du magnifique mobilier que possédait l'église ont été volés, ce qui explique cette prudence trop tardive. A l'intérieur, restes de fresque intéressants, retable et crucifix.

Continuez la N.618. A Villeneuve-des-Escaldes on domine toute la vallée de la Sègre, paysage tout différent de la haute Cerdagne découverte après Mont-Louis. C'est une plaine fertile, couverte de cultures diverses, de prairies. Vous êtes loin du pays de la vigne. Nombreux rideaux de saules qui bordent les champs où suivent de petits ruisseaux. De cette hauteur on reste étonné de contempler un paysage qui rappelle la plaine de la Flandre française, si on élimine par la pensée les montagnes environnantes.

Non prévu dans cet itinéraire : il faut signaler qu'un détour en montagne au village de Dorres vous permettrait de voir dans l'église de cette localité une des plus belles Vierges romanes du Roussillon.

Continuant la N.618 vous arrivez à UR et à son église (*) (cf. R.r. page 25). L'abside à plan tréflé rappelle celle de Brouilla (itinéraire nº 2) (pl. 30). Très beaux retables dans les deux chapelles latérales. Fort intéressante et curieuse cuve baptismale préromane dont les sculptures, sans doute symboliques, mais fort énigmatiques, peuvent donner lieu à bien des interprétations (pl. 31). Prendre à gauche la N.20 jusqu'à Bourg-Madame. A l'entrée de la ville tourner à gauche pour reprendre la N.116. Village d'HIX et son église (*) (cf. R.r. page 24). Elle est très bien restaurée comme toutes les églises de Cerdagne. L'abside extérieure retiendra particulièrement l'attention. A l'intérieur, Vierge polychrome du XIIIe siècle. Environ 800 m après l'église, vous prenez à gauche une route pour Caldegas et son seilgé (*). Au-dessus du portail latéral, reste de fresque. Le village est au milieu de la plaine de culture, près de la rivière la Sègre. Ce n'est plus la plaine aux arbres fruitiers, vous êtes loin de la Salanque.

Par la D.30 vous retrouvez la N.116, qu'il faut suivre vers la gauche. Dans Saillagouse vous prenez à droite la D.33 pour aller à 2 km au vieux village perdu de LLO. Église (*) en bas du village (cf. R.r. page 24). Le portail est la partie la plus remarquable de l'édifice (pl. 32). Il comporte quelques sculptures de choix. A signaler aussi le beau chevet donnant également sur le cimetière. Superbe point de vue sur toute la plaine.

On retourne à Saillagouse et on continue la D.33 jusqu'à ESTAVAR. L'église (*) de la seconde moitié du XIIe siècle (cf. R.r. page 23) présente à l'intérieur de l'abside de très belles fresques découvertes récemment au cours de restaurations.

Regagner ensuite Saillagouse et par la N.116 Mont-Louis.

Itinéraire nº 6
(Le Boulou - Serralongue - Amélie, 80 km environ. Carte Michelin 86, plis 18 et 19, vallée du Tech, le Vallespir)

Au BOULOU l'église se trouve au centre de la ville. C'est son portail roman (**) qui est intéressant (cf. R.r. page 22). Apparemment simple, il comporte, dans sa partie supérieure, une admirable frise sculptée, due au ciseau du « Maître de Cabestany ». On y peut lire les scènes de la Nativité (pl. 17), du Bain de l'Enfant Jésus, de l'Adoration des mages (pl. 18) et de la Fuite en Égypte (pl. 19).

Prendre la N.9 (pas l'autoroute) en direction du Perthus. A 3 km, chapelle de SAINT-MARTIN-DE-FENOLLAR (***), petite chapelle romane de 9 m 50 de longueur sur 3 m 40 de largeur, présentant un ensemble de fresques romanes le plus complet et de la meilleure qualité, « où tout dénote une rare vigueur de caractère et de foi » (cf. R.r. pages 165 et suivantes). Les scènes de l'Annonciation, de la Nativité (pl. 34), de l'Adoration des mages y sont encore lisibles sur les murs, de même qu'une Vierge orante, des Vieillards de l'Apocalypse (pl. 33) et le Christ entouré des symboles des Evangélistes dans les parties supérieures et sur la voûte.

Reprendre la N.9 en direction du Sud. A 3 km L'ÉCLUSE et son église (*) dont l'abside a conservé une partie du décor peint par le Maître de Fenollar (cf. R.r. page 23). Pour éviter de repasser au Boulou, où la circulation est parfois difficile, remonter la N.9 jusqu'à Saint-Martin-de-Fenollar et prendre à gauche la N.618 qui en 8 km vous amènera directement à Céret. Dans cette ville, très intéressant musée d'art moderne et sur le Tech le vieux pont du Diable, du XIVe siècle. Prendre à gauche la N.115, axe routier de la vallée du Tech, pour Amélie et continuer jusqu'à ARLES-SUR-TECH. On peut stationner dans le centre, près de l'église et du cloître que vous allez visiter. Il y eut à Arles une ancienne abbaye carolingienne Sainte-Marie. L'église abbatiale que vous pouvez voir remonte au XIe siècle (**). Les parties dont il faut souligner l'intérêt sont à l'Est, le beau relief sculpté d'un Christ en Gloire au centre d'une croix où figurent également les symboles des Évangélistes et une fenêtre décorée.

Perpignan
N9
Tech
Le Boulou
(89)
N115
St-Martin de Fenollar
Tech
Céret
(171)
N618
Maureillas
N9
L'Ecluse
N9
Le Perthus
(290)
N115
Tech
Amélie-les-Bains-Palalda
(230)
Chapelle
St-Pierre
Arles-s-Tech
(270)
N115
N115
D3
D6A
D44
Serralongue
St-Laurent-de-Cerdans
(669)
D3
Coustouges
(826)
Can Damon
ESPAGNE
6
0 1 2 3 4K

Au Sud de l'église, cloître datant de l'extrême fin de l'époque romane (cf. R.r. pages 80 et 81). Quand vous entrez dans l'église, la hauteur de la nef centrale fait toujours forte impression : c'est l'une des plus grandioses du Roussillon (pl. 35).

Vous quittez Arles par la N.115 en direction de Prats-de-Mollo. Dès la sortie de la ville, on prend à droite la direction de Corsavy et presque aussitôt une petite route, à droite, encore indiquée sur un panonceau, conduit dans la vallée du Riuferrer. En moins d'un kilomètre vous êtes à la chapelle Saint-Pierre de RIUFERRER (*), en très bon état. Elle est placée dans un verger de pommiers qui doit être charmant au moment de la floraison (pl. 36). Dans le fond de la petite vallée assez sauvage, on découvre le versant Sud-Est de la chaîne du Canigou. Revenir à Arles, reprendre la N.115 et après 5 km le long du Tech prendre à gauche la D.3. 14 km de montée sur bonne et large route vous conduiront à Coustouges en de nombreux lacets qui vous élèvent au-dessus de la vallée de la Quèra, traversant une belle forêt de châtaigniers, acacias et autres espèces variées qui donnent un ombrage agréable dans la saison chaude.

A COUSTOUGES, à l'arrivée sur la place fort pittoresque, on est de suite conquis par la beauté de la pierre de l'église, grès du pays aux teintes nuancées variant du doré et de l'ocre au violet. Des ajouts plus récents sont en granit. Les maisons du village qui ont su conserver intactes leurs constructions faites dans la même pierre forment une harmonie parfaite avec l'église. Celle-ci et son beau portail sont très intéressants (**) (cf. R.r. pages 22 et 23). Le portail à la riche ornementation est unique dans le Roussillon (pl. 37). Il rappelle la décoration du style roman du Poitou et de la Saintonge et se rattache à l'Espagne toute proche. La pierre offre une coloration très chaude, éclairée par le premier portail plus simple au côté de l'ajout qui tient lieu de narthex. Dans l'église on admirera la grande finesse de la grille de fer forgé datant de l'époque romane et remise à sa place à l'entrée du chœur. Le plan de l'église est fort original avec ses décors de trompes aux deux côtés du chœur qui fait penser à l'église de San Juan de Duero à Soria, en Espagne.

L'amateur de beaux panoramas de montagne ne redescendra pas de Coustouges, dernier village avant la frontière espagnole, sans faire les deux derniers kilomètres de la D.3 jusqu'à Can Damon. Laissez là votre voiture, faites 200 m à pied jusqu'à une petite chapelle récente d'allure romane. Un splendide point de vue domine la frontière. Une gorge sauvage avec des plans successifs de montagnes descend vers l'Espagne. Coustouges et le panorama de Can Damon suffiront pour vous laisser le souvenir d'une belle journée. De Coustouges redescendre la route de montée sur 8 km (4 km après Saint-Laurent-de-Cerdans), prendre à gauche la D.64 qui en 7 km environ de trajet en forêt conduit à SERRALONGUE.

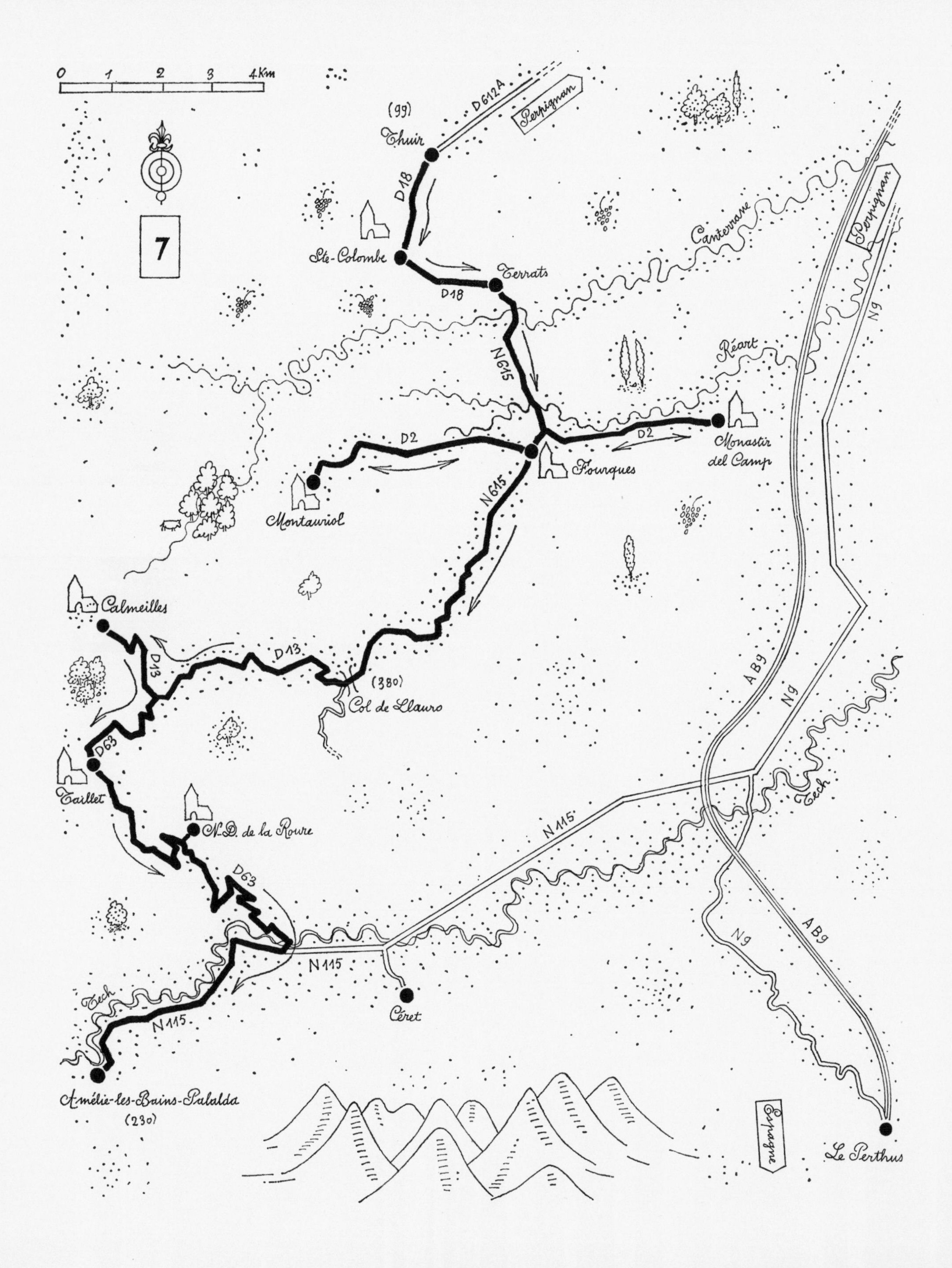
0
1
2
3
4 Km
7
(99)
Thuir
D612A
Perpignan
D18
Ste-Colombe
Terrats
D18
Canterrane
N615
Réart
D2
D2
Monastir
del Camp
Fourques
Montauriol
N615
Calmeilles
D13
D13
(380)
Col de Llauro
D63
Taillet
N.D. de la Roure
D63
N115
Tech
N115
Céret
Tech
N115
Amélie-les-Bains-Palalda
(230)
Espagne
AB9
N9
AB9
N9
N9
Perpignan
Le Perthus

Église (*) au portail d'une décoration simple, avec de belles pentures. Malheureusement l'église est toujours fermée. On reprend la D.44 en direction d'Arles. A la descente, vers la vallée, panorama sur la face Sud du Canigou. Vous retrouvez le Tech et la N.115 que vous prenez à droite pour revenir à Arles et à Amélie.

Itinéraire nº 7
(Thuir-Amélie, 60 km environ. Carte Michelin 86, plis 19 et 18).

Cet itinéraire, qui ne va pas vous conduire à de grandes œuvres romanes, est à déconseiller au voyageur pressé qui ne désirerait voir dans le Roussillon que les monuments principaux. Cette randonnée est pourtant pleine de charmes et sera appréciée par le touriste désireux de trouver de petites églises ou sanctuaires ruraux témoins d'un passé de vie paysanne. Le trajet parcourt l'extrémité occidentale de la plaine du Roussillon et la partie orientale des collines des Aspres, dont on vous a parlé au début du guide, hauteurs d'où descendent deux modestes rivières : la Canterrane et le Réart. Les collines sont couvertes de bois où dominent le chêne vert et le chêne-liège, et aussi de garrigues avec bruyères, genêts ou ajoncs. C'est un pays où la vigne conserve quand même sa place. Le parcours se fait en grande partie sur de petites routes accidentées, très sinueuses, mais assez bonnes. On y roulera lentement dans un paysage sauvage et varié.

Vous partez de Thuir, situé à 13 km au Sud-Ouest de Perpignan, par la N.612 A. Traversez la ville et prenez la D.18 pour SAINTE-COLOMBE, placée sur une éminence d'où l'on domine tous les vallonnements couverts de vignes. L'église (*), restaurée récemment, a une façade romane et une abside de bel appareil. Cet édifice dans son site vaut une visite. Par la D.18 rejoindre à Terrats la N.615. Prendre cette route vers la droite pour Fourques.

Avant l'entrée du village, suivre à gauche la D.2 qui en 4 km conduit à MONASTIR-DEL-CAMP (*), ancien prieuré Sainte-Marie (cf. R.r. page 24). Ce qui en reste est actuellement une propriété privée et peut être visité tous les jours moyennant un modeste droit d'entrée. L'intérêt principal est le portail et ses quatre piliers avec chapiteaux, dont l'un représenterait l'Invention de la sainte Croix par sainte Hélène. Une grille de défense placée devant le portail gâche la vue de ce dernier. Le cloître du début du XIVe est un des premiers cloîtres gothiques, encore influencés par l'art roman. L'ensemble du monument deviendra intéressant quand l'église aura été restaurée.

Revenir à Fourques par la route de l'aller. Le pays est attrayant, les coteaux sont marqués par des cyprès, les vignobles sont bordés de haies d'arbres à feuilles caduques, contrastant avec les arbres toujours verts. On traverse Fourques dont l'église (*) souvent fermée n'attire guère l'attention par sa façade où se trouve l'entrée.

Jusqu'ici vous étiez encore sur le plateau s'élevant à l'Ouest de la plaine du Roussillon, bien cultivé et où domine la vigne. Maintenant par la D.2 vous vous dirigez vers Montauriol et vous montez doucement dans les collines des Aspres décrites ci-dessus avec maquis, garrigue, grandes bruyères blanches, cistes et genévriers. A la fin du printemps certains passages de ces routes sont bordés de genêts en fleurs dont l'or fait un contraste délicieux avec le vert foncé des chênes-lièges.

MONTAURIOL. Sa petite église préromane (*) – on dirait plus volontiers chapelle – domine le village au milieu de cette végétation. La façade et le clocher sont bien restaurés, mais l'église est toujours fermée. Très belles pentures. Revenir à Fourques par la route de l'aller, reprendre à droite la N.615 qui monte toujours dans les collines jusqu'au col de Llauro (380 m). Prendre à droite la D.13 jusqu'à CALMEILLES et son église (*). Celle-ci et son clocher ont été heureusement restaurés. Abside avec arcatures (pl. 38). Portail de pierre ocre orné de dents d'engrenage. Le pourtour est soigné et fleuri, vieilles rues pittoresques. L'église reste fermée et on ne vous donnera pas la clé. Revenir 3 km environ en arrière par la D.13. Lacets en pays boisé avec par endroits beaux aperçus sur la chaîne du Canigou. Au croisement, prendre à droite la D.63 pour TAILLET. Son église (*), elle aussi en bon état sur sa partie visible, est encastrée dans des habitations et reste fermée. Continuer la D.63 qui vous fera grimper au hameau que vous apercevrez de loin, NOTRE-DAME DE LA ROURE. Chapelle romane (*) dominant quelques maisons et leurs jardins. Porte avec de belles pentures dans un portail disgracieux refait en briques. De là, agréable point de vue sur les collines. Par de nombreux lacets on redescendra lentement en 7 km jusqu'au Tech et Céret, toujours dans le même paysage particulièrement beau au printemps. Le soleil rarement absent jette ses éclaboussures de lumière à travers la végétation. Aura-t-on fait un voyage d'archéologue ? Aura-t-on parcouru un très beau paysage ? On peut penser que les deux intérêts intimement mêlés auront suscité davantage d'enthousiasme. Un pont très étroit, le pont de Reynès, vous fera traverser le Tech. Vous prendrez à droite la N.115 qui en 5 km 5 vous conduira à Amélie.

Itinéraire nº 8
(Amélie - Ille-sur-Têt, 60 km environ. Carte Michelin 86, pli 18)

Cet itinéraire de faible kilométrage ne vous fait voir que trois églises et un prieuré, mais ce dernier est une des plus belles œuvres du Roussillon roman et demande de lui consacrer du temps si vous désirez en goûter toute la beauté et celle de son site.

Le touriste pressé pourrait réaliser sur la même journée les deux itinéraires 7 et 8, mais dans ce cas il aurait intérêt à faire ces deux excursions dans le sens inverse de celui décrit pour chacun et à commencer la randonnée par l'itinéraire nº 8. Il ferait alors le circuit Ille-sur-Têt - Amélie et ensuite Amélie - Thuir, soit au total 120 km, ce qui est très faisable tout en conservant l'allure lente de promenade sur ces routes étroites et pittoresques. Comme déjà signalé au début de ce guide, ces itinéraires sont des suggestions expérimentées, mais le voyageur a toute facilité de les modifier, de les simplifier ou de les combiner.

Dans le centre d'Amélie, rive gauche du Tech, vous prenez la D.53 pour gagner en 5 km de montée le village de Montbolo. La route très sinueuse, mais bonne, passe au milieu des chênes verts, d'où l'on a de beaux aperçus sur la vallée. MONTBOLO – son église (*) avec deux absides jumelées, architecture déjà rencontrée à Espira-de-l'Agly. Le pourtour extérieur est coquettement aménagé et de cet emplacement élevé on jouit d'un beau panorama.

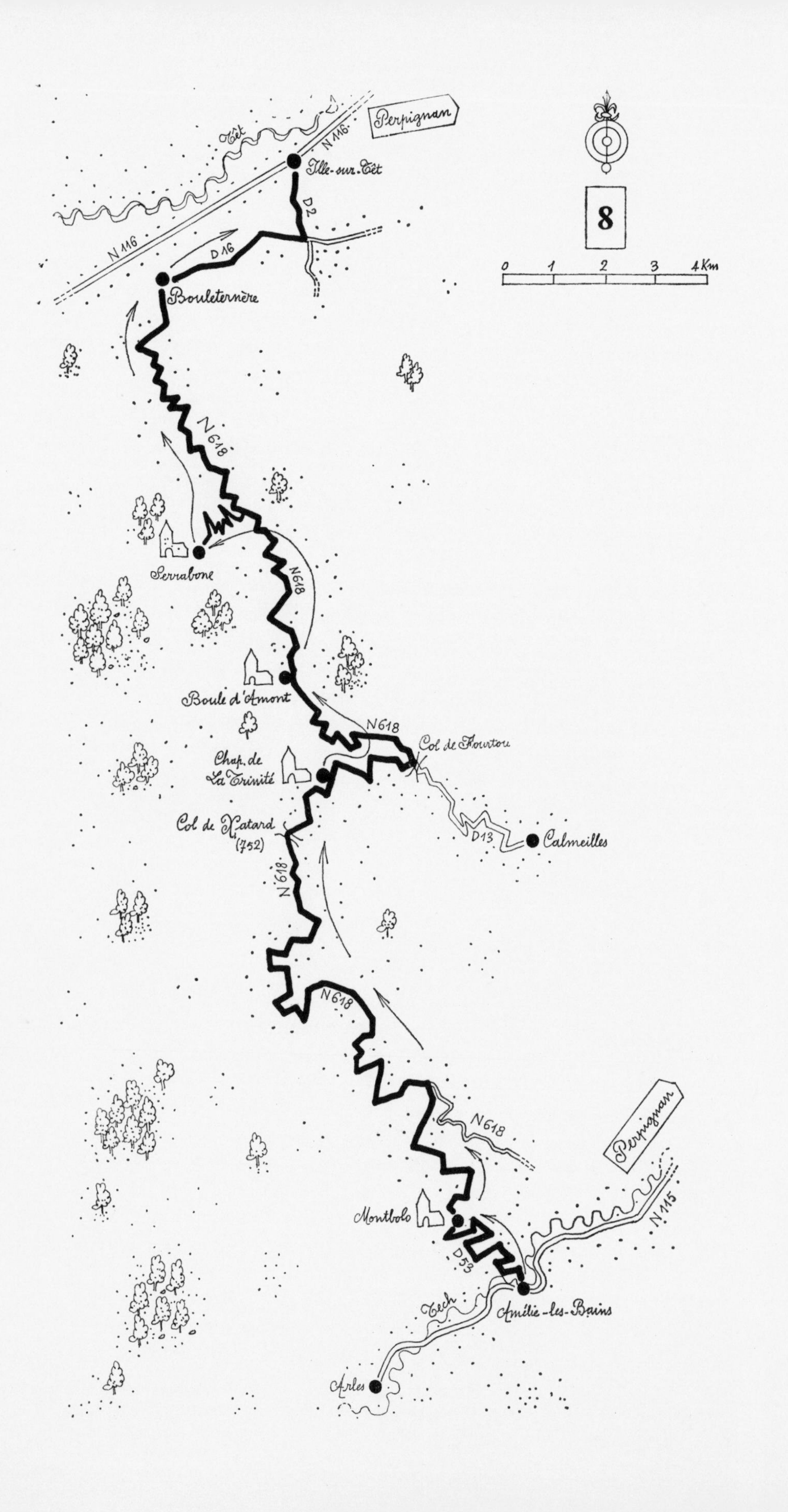

Perpignan
Têt
N 116
Ille-sur-Têt
D2
8
0 1 2 3 4 Km
N 116
D 16
Bouleternère
N 618
Serrabone
N618
Boule d'Amont
N618
Col de Fourtou
Chap. de
La Trinité
Col de Xatard
(752)
D13
Calmeilles
N618
N618
N618
Perpignan
N 115
Montbolo
D53
Amélie-les-Bains
Tech
Arles

Après le village prendre à droite la nouvelle petite route qui continue la D.53 et qui en 5 km de parcours boisé mène à la N.618 où vous tournez à gauche. C'est cette route que vous suivrez jusqu'à la fin de cet itinéraire. Un circuit sur les hauteurs vous conduit au col de Xatard (752 m). Très belle vue sur le côté Est de la chaîne du Canigou. En 2 km vous arrivez à la chapelle de LA TRINITÉ (**) où se trouve le Christ dit « Majesté », Christ en croix, vêtu, « le plus émouvant de ceux que l'époque romane nous a laissés en Roussillon » (cf. R.r. page 25). L'église est intéressante, et surtout magnifiquement située (pl. 39). Les riches pentures de la porte accueillent le visiteur (pl. 40). Dès l'entrée, le Christ vêtu, placé au fond de l'allée latérale, bien éclairé, s'impose par sa majesté et, vu de près, par son regard (pl. 41). C'est toute une méditation pour le croyant. De la petite esplanade au sortir de la chapelle, vous avez une vue magnifique sur les environs et la chaîne frontière des Albères. On passe ensuite au col de Fourtou, marquant la séparation entre les vallées du Tech et de la Têt. A droite la D.13 permettrait de rejoindre Calmeilles indiqué dans l'itinéraire précédent. Continuer à gauche la N.618 qui à Boule d'Amont va suivre en descendant la vallée du Boulès.

BOULE D'AMONT. Au virage à gauche à l'entrée du village, vous avez devant vous l'ample abside de l'église (*) dominant la boucle de la route. La porte offre des pentures particulièrement intéressantes. Deux beaux retables, dont celui du maître-autel. Christ « Majesté » dans la chapelle de droite. 5 km et vous arrivez au bas de la montée de Serrabone. Une nouvelle route large et bonne vous permet de monter au prieuré en 4 km à travers la forêt et la garrigue. En février-mars la colline est couverte de bruyères blanches en fleurs. C'est de ce premier plan que vous apercevez à un virage le clocher. Parking à 200 m avant l'édifice, que l'on peut visiter de 10 h à 12 h et de 14 h à 18 h (17 h en hiver). L'entrée est libre. Une musique classique doucement diffusée vous accueille avant de passer le portail. Elle est choisie et assurée par le conservateur qui a suivi et dirigé amoureusement la restauration de « son » monument. Il a trouvé ce moyen musical pour obtenir le silence ou du moins éviter les éclats de voix dans le sanctuaire. L'atmosphère reste propice à la contemplation.

Prieuré de SERRABONE (***), « l'une des merveilles les plus impressionnantes que nous a léguées l'art roman » (cf. R.r. page 149). La nef qui vient d'être restaurée a une voûte en berceau brisé. La façade aussi a été heureusement refaite. La pièce de choix est la tribune de marbre rose avec ses colonnes et ses chapiteaux qui offrent la perfection de la sculpture romane durant la deuxième moitié du XIIe siècle (pl. 42-44). La marque du « Maître de Serrabone » se retrouve dans d'autres œuvres roussillonnaises. La galerie méridionale dominant le ravin et ses chapiteaux enthousiasmeront encore le visiteur. Les éclairages variés suivant les heures du jour renouvellent sans cesse la mise en valeur des motifs sculptés qui ne sauraient manquer de tenter le photographe.

Après la visite intérieure, à la sortie, vous vous éloignerez vers la gauche, soit en descendant dans le vallon tout proche près d'une fontaine abritée sous de très beaux arbres, soit en grimpant une centaine de mètres dans la garrigue. Vous pourrez de là contempler à loisir la beauté simple de la façade dans le cadre des collines des Aspres.

On redescend par la route de l'aller. Au bas vous reprenez à gauche la N.618 et vous descendez les boucles de la route qui suivent celles du Boulès. Vous arrivez au vieux village de Bouleternère où vous prendrez à droite la D.16 et après 3 km vous prendrez à gauche la D.2 qui vous mènera à Ille-sur-Têt.

Itinéraires simplifiés

Voici les deux itinéraires simplifiés dont il a été question dans les préliminaires de ce guide.

1) Le Conflent avec Serrabone – en deux jours – Perpignan à Perpignan, 150 km environ. Carte Michelin 86, plis 17, 18 et 19. Pour le détail, on se référera aux précisions des itinéraires précédents.

Premier jour : Perpignan-Vernet, 88 km.
Toulouges (**) (itinéraire nº 1), Ille-sur-Têt, Serrabone (***) (itinéraire nº 8), Prades (*), Saint-Michel-de-Cuxa (***), Vernet (*) (itinéraire nº 3).
Deuxième jour : Vernet-Perpignan, 62 km et 1 h 15 environ de marche à pied pour l'aller et retour à Saint-Martin. Saint-Martin du Canigou (***) (itinéraire nº 3), Corneilla-de-Conflent (**), Villefranche (**) (itinéraire nº 4) et Perpignan.

A Marquixanes, sur la route du retour, vous avez la faculté suivant le temps dont vous disposez, de monter à Marcevol (**) (itinéraire nº 3), détour de 14 km aller et retour non prévu dans le kilométrage indiqué ci-dessus.

2) La partie Sud de la plaine du Roussillon et le Vallespir. Une journée Perpignan-Perpignan, 138 km. Carte Michelin 86, plis 18, 19 et 20.

Bien que le kilométrage soit presque aussi important que celui de l'itinéraire simplifié précédent, cette excursion comporte moins de petites routes, et pas de trajet à pied. Les visites demandent moins de temps pour l'ensemble prévu. Le voyageur pressé pourrait ne pas aller à Coustouges, ce qui serait regrettable, et il n'irait pas au-delà d'Arles.

Elne (***) (itinéraire nº 2).

A Elne continuer la N.114 en direction d'Argelès. Après 4 km environ, prendre à droite une petite route qui en 3 km vous conduira à Saint-André (**) (itinéraire nº 2). Prendre ensuite la N.618 pour Saint-Genis (**) (itinéraire nº 2). Continuer ensuite la N.618 jusqu'au croisement avec la N.9 où vous tournez à gauche pour Saint-Martin-de-Fenollar (***), Arles-sur-Tech (**), Coustouges (**) (itinéraire nº 6). Au retour de Coustouges regagner directement la N.115 par la D.3 sans faire le détour pour Serralongue. Au retour vers Perpignan vous pouvez voir Le Boulou (**) (itinéraire nº 6).

Ces deux itinéraires simplifiés vous auront permis de voir cinq des six chefs-d'œuvre d'art roman marqués de trois astérisques dans la cotation adoptée pour ce guide.

Cette plaquette constitue le quatorzième album de la collection "les travaux des mois" publié par les éditions "Zodiaque", le 25 avril 1977. Le texte est d'André Duprey. L'ouvrage est de l'Atelier du Cœur-Meurtry, atelier monastique de l'Abbaye Sainte-Marie de la Pierre-qui-Vire (Yonne). Les photographies sont de Zodiaque. Les planches hélio ont été réalisées par Roto-Sadag à Genève. La planche couleurs de la couverture et le texte ont été imprimés par les Presses monastiques à la Pierre-qui-Vire.

CUM PERMISSU SUPERIORUM

Directeur-Gérant : José Surchamp

Dépôt légal : 1183-2-77